源氏物語空間読解

安原盛彦
Yasuhara Morihiko

鹿島出版会

口絵　『源氏物語絵巻』「夕霧」（国宝・五島美術館所蔵）

［装幀者］石原　亮

目次

目次

目次

序

源氏物語は平安時代を代表する物語文学である。紫式部（?～一〇一六?）という貴族の女性によって、十一世紀初め頃（一〇〇六年前後）完成された。平安時代中期であり、平安盛期[*]である。日本を代表する文学であるが、シェークスピア（一五六四～一六一六）の傑作に勝るとも劣らない起伏に富んだ物語が、彼の作品より六百年程も前に書かれていたことは驚くべきことである。

時代も、筆者である紫式部と同時代（contemporary）の平安時代を舞台とし、主人公も光源氏、夕霧、薫と三代にわたった五十四帖もの長編小説であり、この三人に対する多数の男女の複雑な交流が描かれる。日本の物語文学のなかでも他に例を見ない。むしろ、この三人と交流した女性達こそ主人公であったかもしれない。

男女の、しかも一人一人の複雑な心理描写が織りなされるが、源氏物語といえば、こうした物語展開、心理描写のドラマチックさに惹きつけられるのが一般的であろう。しかし、じつは源氏物語には平安時代当時、つまり平安盛期の貴族の住空間である寝殿造の空間が見事に描かれていたのである。貴族達の物語、生活はその空間のなかで展開されていた。この空間性をイメージできなければ、源氏物語の物語性の理解も萎んでしまう。

源氏物語のなかの寝殿造がどういう空間であったかを記述することが本書の一つの目的である。物語性というより、むしろ、そのなかで貴族達がどういう空間に浸っていたか、その空間がどう貴族の生活、生活方法を支え、ひきたて、当時の貴族の意識や感覚と関わっていたかを記述する。空間性こそが、物語性を支えていたのである。

その空間性を第一章では建築空間に、第二章では庭空間に視点をあて探る。そして第三章の空間読解では、「奥」、「端」、「鎖《さ》す」、光と闇、五感（the five senses）をキーワードとして、源氏物語のなかから実例をあげ、男女一人一人の動きに即して詳しくその内容を記述し、解明を試みた。

源氏物語ほど、当時の空間性を表現している文学はない。時代が下がったシェークスピアの文学も、空間性を表現することにおいては、源氏物語にはるかに及ばない。その理由は、源氏物語が書かれた平安時代当時、文学だけではなく、建築も庭も、内部空間も外部空間も、文化としてとらえられ、「寝殿造」としての空間づくりが、和歌づくりのように同じ貴族達によって身近に、まさに身体性の延長のように接して住まわれるなかで、なされていたからである。作者・紫式部には、彼女と同時代の寝殿造という空間が、頭のなかでばかりでなく、自分の身体の延長として、とらえられていたのである。

つまり、寝殿造という空間を五感によって支える貴族達の感性があった。建物、仕切り、室礼という装置があり、庭という「自然」があり、貴族達はそれらを駆使した。源氏物語のなかにあらわれる多数の和歌と並んで、寝殿造の空間構成は、この物語を支える強力な骨組みであった。

＊一　平安初期は桓武天皇の平安遷都（七九四）から村上天皇崩御（九六七）まで十二代、百七十余年間、平安盛期は冷泉天皇（九六七即位）から後冷泉天皇（位一〇四五〜一〇六八）に至る八代、百年間、平安末期は後三条天皇から近衛天皇までの六代、九〇年未満を指す（『寝殿造の研究』太田静六）。

第一章　源氏物語の建築空間

(1) 源氏物語の構成

紫式部は、現実の世界では、藤原道長（九六六〜一〇二七）の長女、一条天皇の中宮である彰子《しょうし》に仕えた。『枕草子』の著者・清少納言は同じ時代、同じ一条天皇の皇后定子《ていし》に仕えていた。同格の皇后、中宮が並んでいた時代であった。定子の父、藤原道隆は道長の兄であるから、二人は従姉妹同士であるが、両家の権力闘争に巻き込まれる。女性の世界でも、まさに源氏物語冒頭に、「いずれの御時にか、女御《にょうご》、更衣《こうい》あまたさぶらひたまひけるなかに」とあるように、時の帝をめぐって、寵愛と子とを授かろうとする貴族の女性達がいた。

権力は、摂政・関白が支配する摂関時代であり、藤原氏が握っていた。後一条、後朱雀（この二人は彰子の子）、後冷泉（嬉子《きし》の子）、三代の天皇が、道長の娘の子供であり、この間、道長の長男・頼通（九九二〜一〇七四）が約五十年間、摂政・関白をつとめた。同族（藤原氏）のなかでも、権力闘争の末、つまり、天皇の外戚《がいせき》（母方の親戚）となり、それを維持する争いの末、道長↓頼通父子が力を持ち続ける。この外戚としての地位が頂点に達したとき、いわゆる「三后」（太皇太后《たいこうたいごう》、皇太后、中宮）の地位を娘達が独占したとき、道長は「此の世をば我世とぞ思ふ望月の　欠けたることもなしと思へば」という、いわゆる「望月の歌」を詠ったのである。紫式部は、この時代の権力の中枢、構造を間近に観察していた。

源氏物語の主人公、光源氏も、養女・秋好《あきこのむ》中宮、また娘である後の明石の中宮（明石の上との間の子）を通じて外戚となり、権力をつかむ。

源氏物語は、見ようによっては三代にわたる二組の男が、女達にいかにして会い、いかに惹かれていくかの話でもある。始めに光源氏と頭《とう》の中将《ちゅうじょう》、中間に夕霧と柏木、そして最後が薫と匂宮《におうみや》である。その会い方は、すべからくといってよいほど、男が女を「垣間《かいま》見る」こと、「透影《すきかげ》」を見ることからはじまる。「垣間見る」とは、物の隙間からそっと見ることであり、「透影」とは、物越に透いて見える姿、形のことである。

一方、源氏物語は女の物語でもある。姫君達は一人では実生活的なことは何もできない。そばにいる女房達がなにくれとなく世話をするのである。男との間すらとりもつ。姫君達は、自分が自ら、何かができるということをほとんど諦めている。そこでは、彼女たちが自ら、どのようにその状況を受け入れるかが描かれているように見える。男に対する拒絶は、女にとってはその状況を受け入れないという応じ方なのである。

男女の関係は、スタート時点で、女からの拒絶が前提となっている。男がその規範を破ってゆくことで、男女の物語が始まる。自らの意志で自由に動けない分、女は六条御息所《ろくじょうのみやすどころ》のように、自分の意志とは別のところで、生霊となったり、死霊となって人々に憑依《ひょうい》する。

あらわれてくる女達は、登場と共に激しく物語性に勢いを与える。一人一人が異なった個性を持ち、見事にそれぞれに表現されている。

源氏物語では登場人物達が、宿世にこだわり、自らが物事を積極的に判断するというより、「世」や、他人がするであろう判断を予想し、それを自分がどう判断するかを、ものを決めるときの基準としていることが多い。とくに、女性は、宿世や、他人の判断に身をまかせる場合が多い。他人とは、抽象的な他人であり、その時代の判断、常識であったり、男の考え、行為であったりする。それが、その人物の行動を決め、自らを強いて納得させようとする。

そして鬱屈した分、たとえば六条御息所のように生霊となって、源氏の子・夕霧を懐妊した正室・葵《あおい》の上に取り憑《つ》き、殺すほどにまで行きつく。彼女は、後に、死霊となって紫の上、女三の宮に取り憑く。行動できない分、女は嫉妬、恨み、ねたみに身を焦がし、「物の怪《け》」となって人に取り憑くのだ。ここには、この時代の女性の極性がとらえられている。

源氏物語の内容は、色々な分け方ができるが、時代的には、大きくいうと、光源氏が生きていた時代と亡くなった後の時代、つまり、いわゆる宇治十帖の時代に分けられるだろう。光源氏が亡くなるとこの物語は終わるかと思われる、それほど光源氏の存在は大きく、そこまでの物語が長い。しかし、場が宇治に設定された彼の死以後の物語も、光源氏の生前の行為が大きく影響はするが、場所も変わるけれども独自の空間性、物語性があらわれる。

前半の光源氏を取り囲む空間と、後半の宇治を取り囲む空間、その間に光源氏の死が差し込まれるのだが、その差し込み方は他に例を見ないものである。源氏物語は五十四帖あるが、じつは、この光源氏の死のところに、「雲隠《くもがくれ》」という巻がある。「幻」の巻と「匂兵部卿《におうひょうぶきょう》（匂宮）」の巻との間に差し挟まれている。これが巻名だけで本文がない。かつては巻として数えられていた形跡があるが、現在は五十四帖のなかの一帖に含まれていない。

この巻は、巻名からも推察されるがごとく、光源氏の死を表した巻と考えられている。つまり、本文の空白な巻をはさむことで、そこに死やこの物語の空白を表現している。この空白の拡がりは、限りなくイメージを拡げる。直接には描かないが、主人公の死の存在をあらわにしている。物語がないのに、物語の進行のなかで不思議な存在感がある。

そこには、死という空間、時間がはさまれていることを感じさせる。それは、光源氏の物語の終わりでもあり、少しあとの「橋姫」からの、いわゆる「宇治十帖」という物語の始まりなのでもある。「帚木《ははきぎ》」の巻のところでも述べるが、源氏物語独特の、無いことによるパースペクティブを感じさせる。

絵巻物にしばしばあらわれる、流れる雲を描くことで、ある部分を隠してしまう「雲煙の手法(すやり霞《がすみ》)」も、こうした当時のパースペクティブ感を表現する一つの方法といえよう。直接的に描かれない部分があることで、その存在、あるいはその廻りの存在の位置をあきらかにしてゆく手法である。

「雲隠」の巻ばかりではない。源氏物語のなかで名前と考えられている男・女の名前は、この物語のなかに多くは直接に表現されてはいない。男も女も、ふつう多くが、その名を位(官職)によって名づけられる。ところが、空蟬、夕顔、若紫、末摘花、明石の上などは、後の人が、その巻にでてくるヒロインを、巻名や場所からそう名づけたのである。巻名は、その巻のなかで詠われた歌のなかに使われた言葉などからとられ、紫式部がつけたと考えられている。

無名性によって、その人のイメージが、かえって、物語のなかから浮かび上がる。無名性を保ちながら、人それぞれに個性がある。こうした方法を紫式部は駆使する。

女性の名になぞらえ冠された多くの巻名には、直接、場所とつながった名前（たとえば桐壺、明石など）もあり、そこには、その女性のいる住まいや、場が持つ空間のイメージが裏打ちされている。季節感のある巻名（「蛍」、「鈴虫」、「野分《のわき》」、「紅葉賀《もみぢのが》」、「花宴《はなのえん》」など）は、時間を感じさせる。五十四（さらに「雲隠」の巻）の巻名の連なりは、読者（貴族階級）に様々に感情移入を呼び起こし、自由なイメージをつなげさせただろう。

源氏物語は、物語性も圧倒的に優れているが、こうした文章の構成自体、また、様々な名前のつけ方自体が、時間性や空間性を帯びていて惹きつけられる。場所も、京はもちろんのこと、源氏が「若紫」（後の紫の上）を見初める京のはずれの「北山」（鞍馬寺といわれる）、須磨、明石、宇治と、比重があちこちに移り変わってゆく。

この時代、実世界での、ふつうの男女の出会いは、和歌のやりとりで始まる。和歌の巧拙は、男女の出会いを左右する。それゆえ、和歌が、貴族達によって熱心に学ばれた。女が男を受け入れると、その翌朝（後朝《きぬぎぬ》）、男は帰り、女に歌を贈る。女がそれに答え返歌する。これが後朝の文《ふみ》である。これを三日間続けると、露顕《ところあらはし》（結婚披露）、三日《みか》の餅《もちい》の式（結婚式）ということになる。女の家で男が夫として認められたのだ。

ふつう、女は自分の家を離れない。妻問婚《つまどいこん》である。女の側からの婿《むこ》取りである。紫の上のように、光源氏に引き取られるケースは稀であり、女にとって不幸な事情であったことを示している。紫の上は、両親や縁者と死に別れ、一人残された、薄幸の女性として描かれる。

しかし、男は複数の女性を妻としていたから、ある女の場所から他の女のところに通っていくことになる。女は一人の男にこだわったから、男が他の女のところに通えば必ず「夜離《が》れ」が起こった。男がその女のもとへ通わなくなるからである。『蜻蛉《かげろふ》日記』は、その「夜離れ」の物語でもある。

源氏物語の、五十七、八歳の老女、あちこちに色目を使う色好みな源典侍《げんのないしのすけ》のような女性は、いたとしても少なかったであろう。それだけに、彼女の個性は物語のなかで光っている。

平安時代、母（母夫婦）が寝殿に住み、娘（娘夫婦）は対《たい》に住んだ。男はふつう別の女の所に通ったから必ずしも住みつくわけではない。

源氏物語よりも早い、十世紀後半の作といわれる宇津保物語には寝殿造の主要な建物（寝殿、対）がその家の姫君達に占められ、男君達は「廊を御曹司にして在はす」と、渡廊や渡殿を仕切った部屋に住まわされていた状況が描かれている。男君達は、寝殿造のメインの空間ではないそうした部屋から女の家に通ったのである。屋敷はふつう、母から娘（長女）に伝領されていたからである。それゆえ寝殿造には女の空間性が強くあらわれる。第三章で詳しく述べる末摘花邸も末摘花という女性一人を主人とした空間であった。彼女がその寝殿造内の寝殿（寝殿造の正殿、中心建物）にひっそりと暮らしていた。

(2) 寝殿造

寝殿造は貴族の住宅である。しかし、そこは儀式や行事などにも使われた。儀式や行事を通じた研究は、儀式書、日記、年中行事絵巻[*二]などを通してなされているが、貴族の日常生活については、まだまだわかっていない。

当時の日記は、個人に関わる日々のことを書く今日の日記と異なり、主として儀式作法を記録して、後に代々伝えて利用するために書かれたもののようである。他人に読まれることが前提とされていた。

平安時代の寝殿造は現実には残っていない。現在、京都御所のなかに残っている紫宸殿《ししんでん》（図1）、清涼殿《せいりょうでん》（図2）[*三]は、江戸時代、寛政の造営に当たって、裏松光世の「大内裏図考証」にのっとって復元され、その後、安政期に罹災し、再建されたものである。往時の寝殿造をしのぶことはできるが、平安時代のものではない。庭は寝殿造とは別のものである。そのため、文献や文学などを通した研究が求められる。言葉にあらわれた空間を読み解くことが、重要な作業となる。とくに、当時の貴族達の日常生活を知るには、全般に普遍化することはできないとしても、源氏物語やその他の物語のなかの空間を知ることが必要である。源氏物語は、文学であり、物語ではあるが、『紫式部日記』という記録を残した、物事や空間をリアルに観察する眼、それを写実的に表現する能力をそなえた閨秀《けいしゅう》がつくり上げた貴族の日常生活の世界である。当時の空間を知るには、

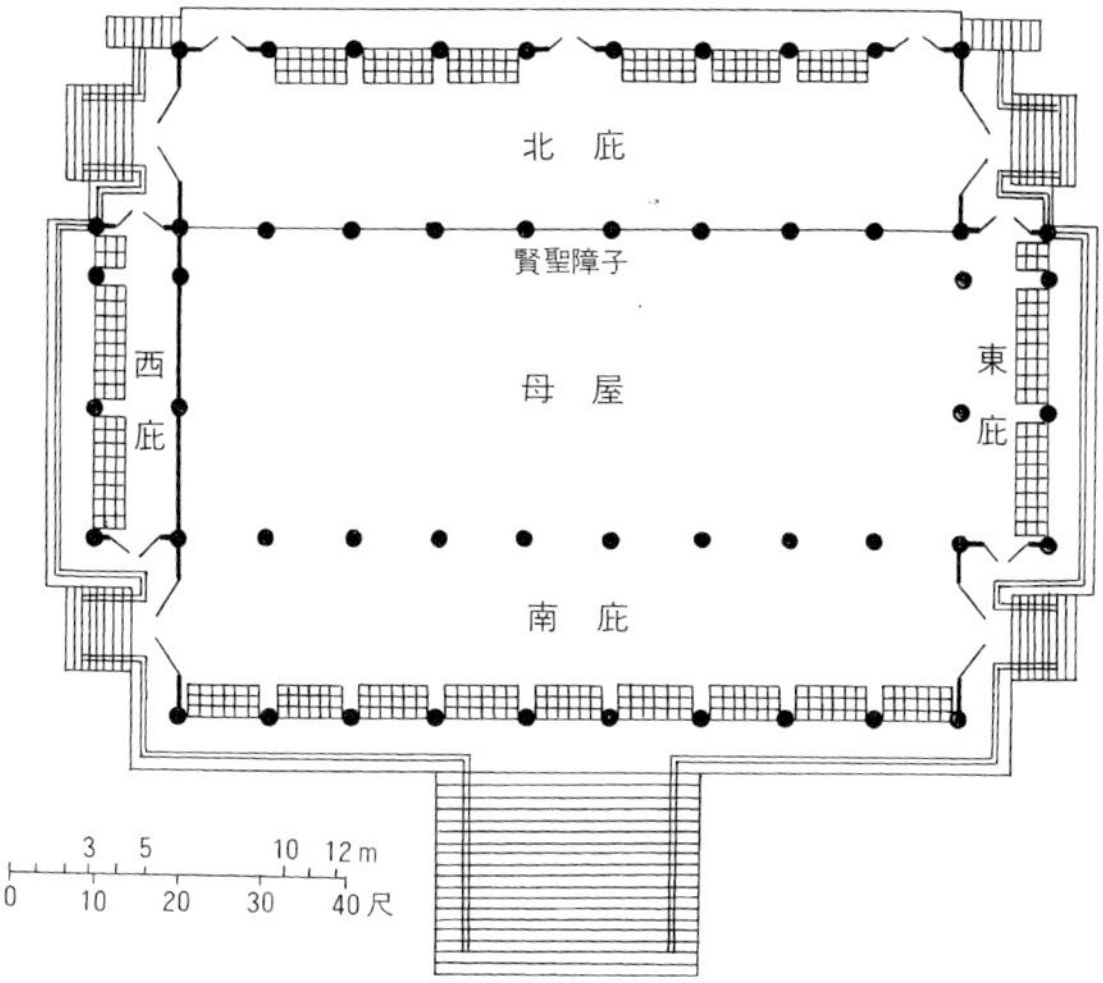

図1　京都御所紫宸殿平面図

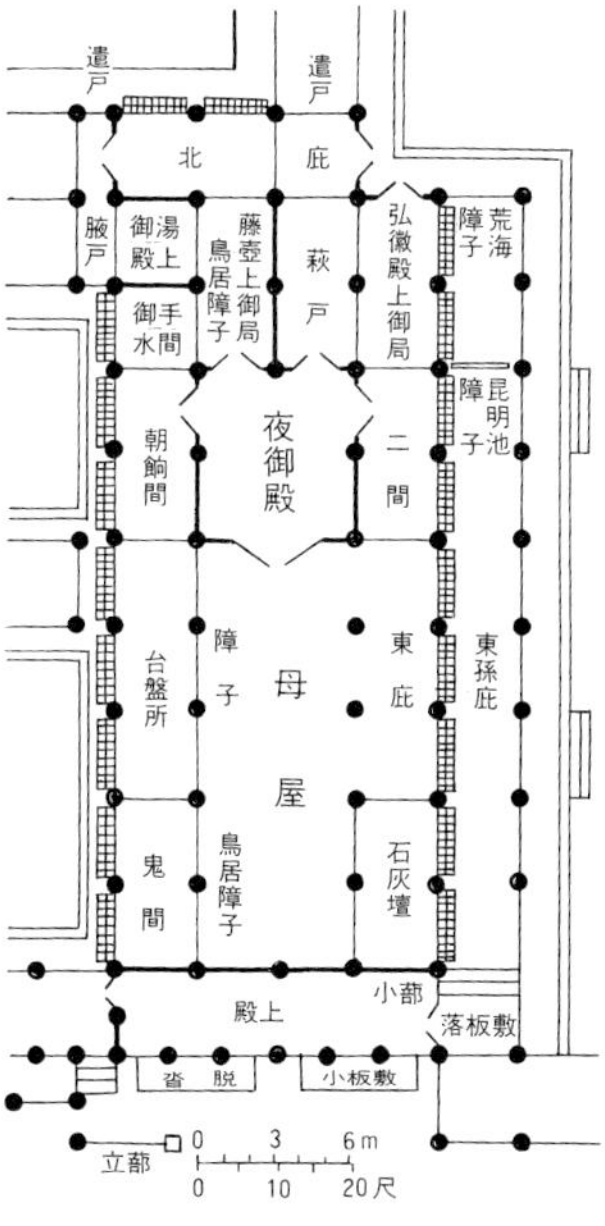

図2　京都御所清涼殿平面図

彼女が表現したものを読み解いてゆく必要がある。

もちろん、文献だけから古代がわかってくるのではない。考古学や、様々な科学的な分野からの解明が必要であろう。しかし、文献からといっても様々な視点から読むことができることも忘れてはならない。文学を文学的視点からだけではなく、空間的視点から読むことも必要である。平安時代の貴族達は、当時の現実の空間を見、味わい、体験し、住みつき、つくり、それを平安文学のなかに記述していたからだ。

＊二　『年中行事絵巻』は一一六〇〜一一七七年のあいだ、つまり平安末期の行事の姿を描いているという。
＊三　平安時代、紫宸殿は儀式など公事の行われるところであり、清涼殿は天皇の日常の住まいであった。

(イ) 寝殿造の構成

源氏物語の空間について述べてゆくにあたり、寝殿造の概要を記しておくことは理解の助けになるが、すでに、我々は高校の日本史の教科書に、寝殿造についての記述が図と共に載っていたことを知っている。

平安時代の貴族の住居形式を寝殿造と呼ぶのは、江戸時代の末に書かれた『家屋雑考』（一八四二年、沢田名垂《なたり》）（図3）からきているといわれている[＊四]が、まず『建築大辞典』（彰国社）から寝殿造について引用、略記する。

「平安時代に完成された天皇・貴族の住宅形式。ただし地位によって規模・形式を異にする。最

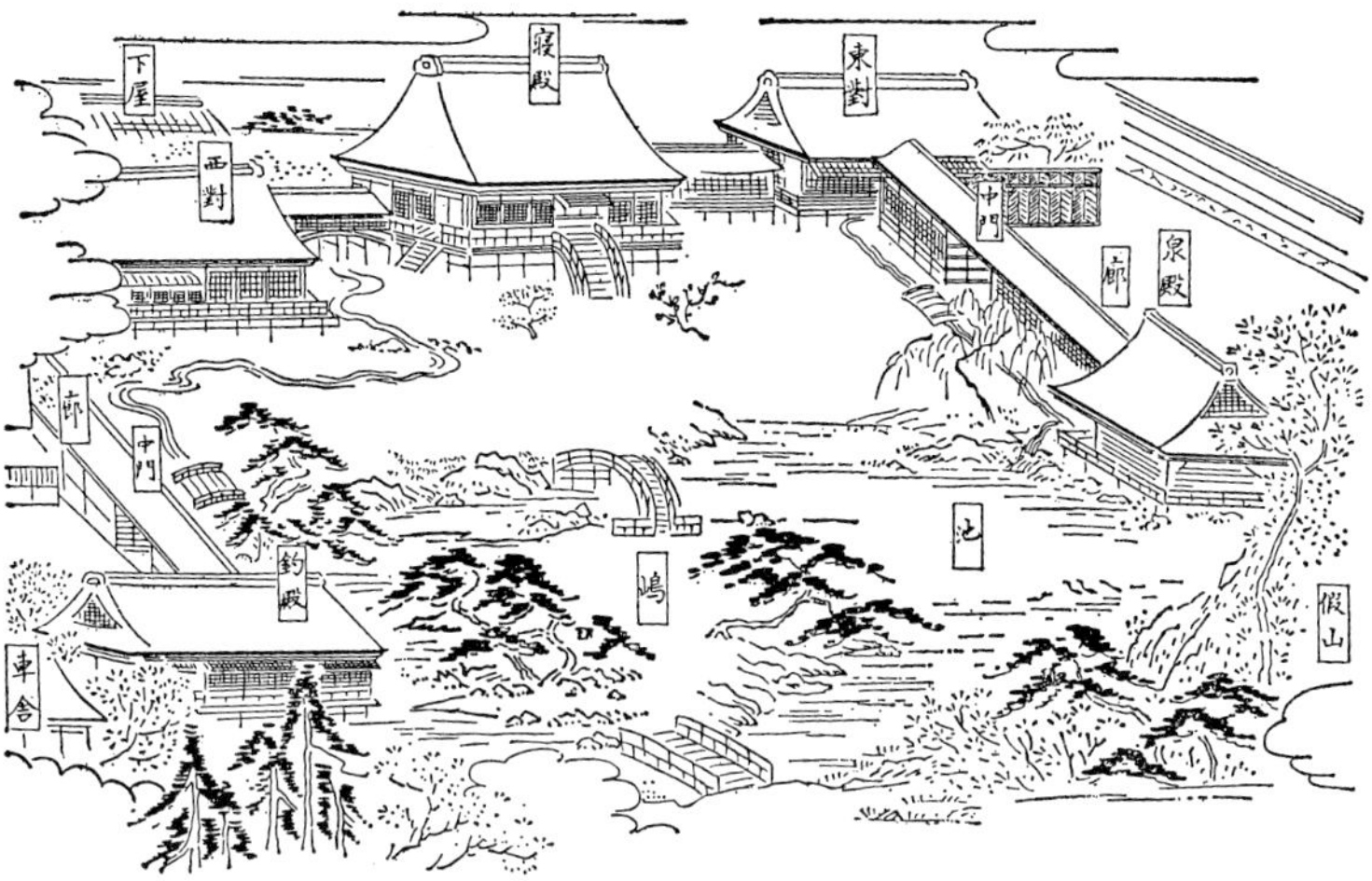

図3　『家屋雑考』の寝殿造（新訂　故実叢書）

も完備したものは三位以上の貴族のもので、敷地は一町四方（約120×120m）で周囲に築地塀をめぐらし、東面または西面に正面として四脚門を開き、前者を東礼（東を晴）、後者を西礼（西を晴）と称された。住屋は正殿としての寝殿とその左方および後方の東の対《たい》、西の対、北の対、東北の対、西北の対などから成り、対から中門廊を突出す。いずれも南面し、寝殿の前庭は白砂敷で行事の場として利用され、さらにその南方には中島のある池を持つ庭園が配されていた。これら池に臨んで泉殿[*五]と釣殿[*六]が設けられ[*七]、両者は渡廊で対と繋がれていた。寝殿および対の構造はいずれも同じで、檜皮葺、入母屋《いりもや》造りで、母屋《もや》・庇《ひさし》（廂）[*八]・広庇などから成り、広庇先の角柱を除いて丸柱とする」（傍点筆者、以下同）である。

概略であるが、いずれにしても、寝殿造は、一町四方の築地塀をめぐらした敷地のなかに、建物群（寝殿、対[*九]、渡廊、中門、泉殿、釣殿、門[*一〇]）ばかりでなく、庭、池、流水、島、築山、橋、馬場などによって構成されていた。建物だけでなくこれら全体を寝殿造と呼ぶ。

こうした形式になる以前、奈良時代以前には、個々の建物を結ぶ渡廊はなかった。たとえば、平城京南外の「北宮」（図4）は、奈良時代の貴族の住宅といわれる。「この邸（北宮）の持主は長屋王ではないが、長屋王が密接な関連を有していたことは確かである」[*一一]と考えられ、敷地の規模が四町（光源氏の六条院も四町を占める大きさである）と大きいので、当時、長屋王（六八四〜七二九）[*一二]より身分の高い人物の屋敷であったであろうことが指摘されている。いずれにしても奈良時代の貴族の家である。

この建物は、屋敷内の塀で囲われたなかでの、建物相互をつなぐ装置（建物）を全くもたない。建物が塀のなかに点として散らばる。この独立した建物を、廊でつないでいったのが寝殿造のはじまりであろう。廊の床が、ほとんど同じ高さで建物群内を歩くことができるようになったとき、空間、空間の見え方、人の動きにつれてのシークエンスが大きく変わった。[*一三]そこには新たな視線が呈示されていた。建物、廊によって空間が囲われ、寝殿造の庭が発生し、そのつくり方、空間の見方が研ぎすまされてゆく。日本の空間が大きく進化したのである。

廊という移動に伴う空間の発見、その徹底した利用が日本の建築空間をつくりだした。廊はサブ的空間に見えて、空間づくりのシステムを支えた。そして、移動に伴う空間であったことで、その周辺の空間に時間が組み込まれてゆく。[*一四]

寝殿造の寝殿、対《たい》を中門廊、渡廊など、廊によって渡り歩いてゆくことは、それまでの建物が孤立して、ポツリポツリと、繋がることなく建っていたのとは空間の見え方がまるで違う。外部

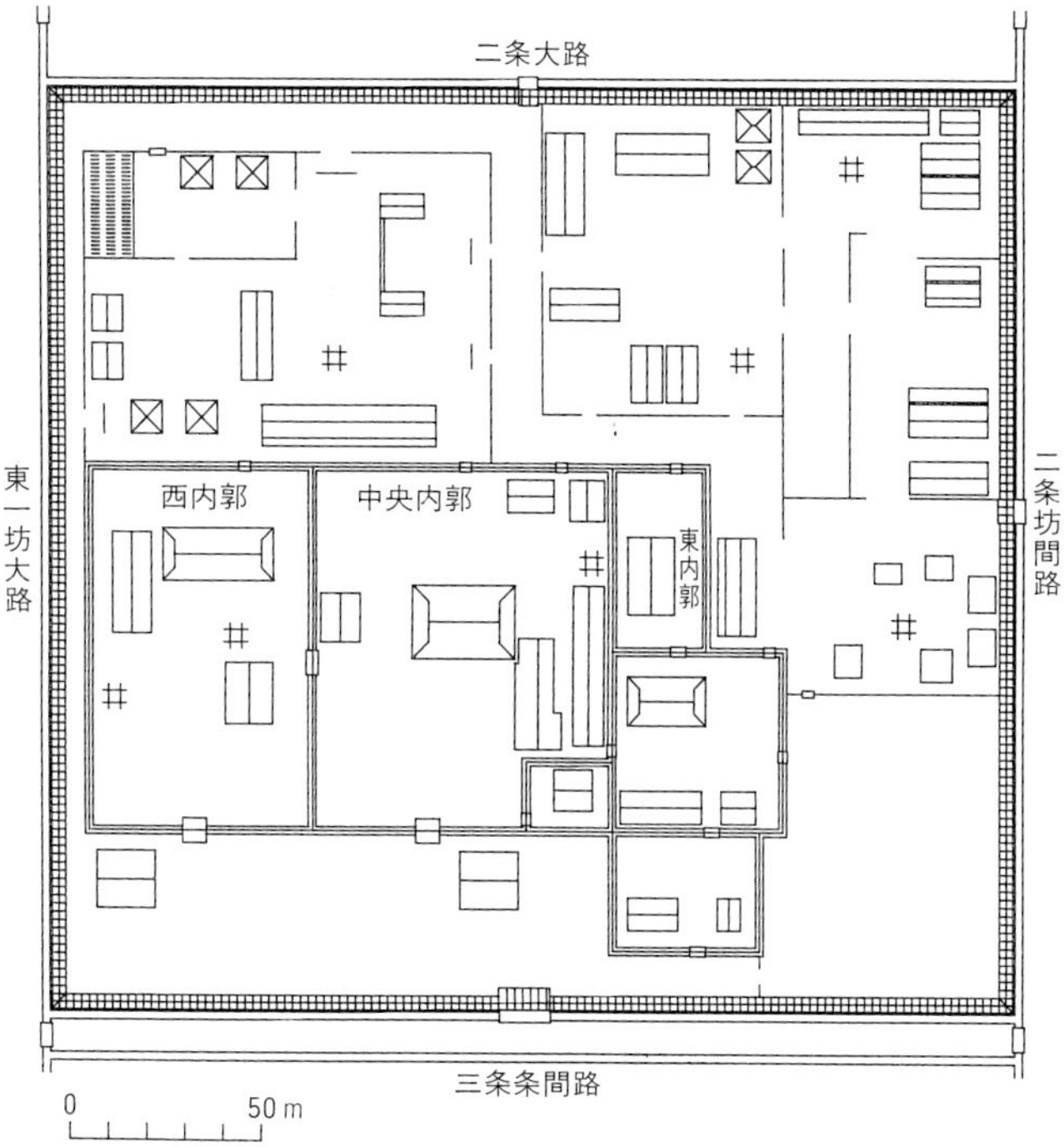

図４　北宮の復元図

も内部の見え方も異なる。外部空間が、建物によって囲われ、区画されてゆく。建物内部からは、地面より数十センチないし一メートルほど上がったレベルから、外部（建物を含めて、庭）を見ることになる。内部からは、こうした見下ろす、また水平の視線が重要となる（図5）。その視線は、上部を軒の先端に切りとられる。軒の先端は、床の水平線と共に室内からの視線に対し、絵画における額縁の枠のように、ピクチュアレスクな景観、庭の景色を囲い取る。垂直の柱がその枠に構成を与える。また、庭自体が建物によって囲われ、枠づけられていた。

しかも、見られる空間は、中門、廊、対、寝殿と伝い歩きながら、つまり、ほとんど同じ眼の高さのレベルで、水平に

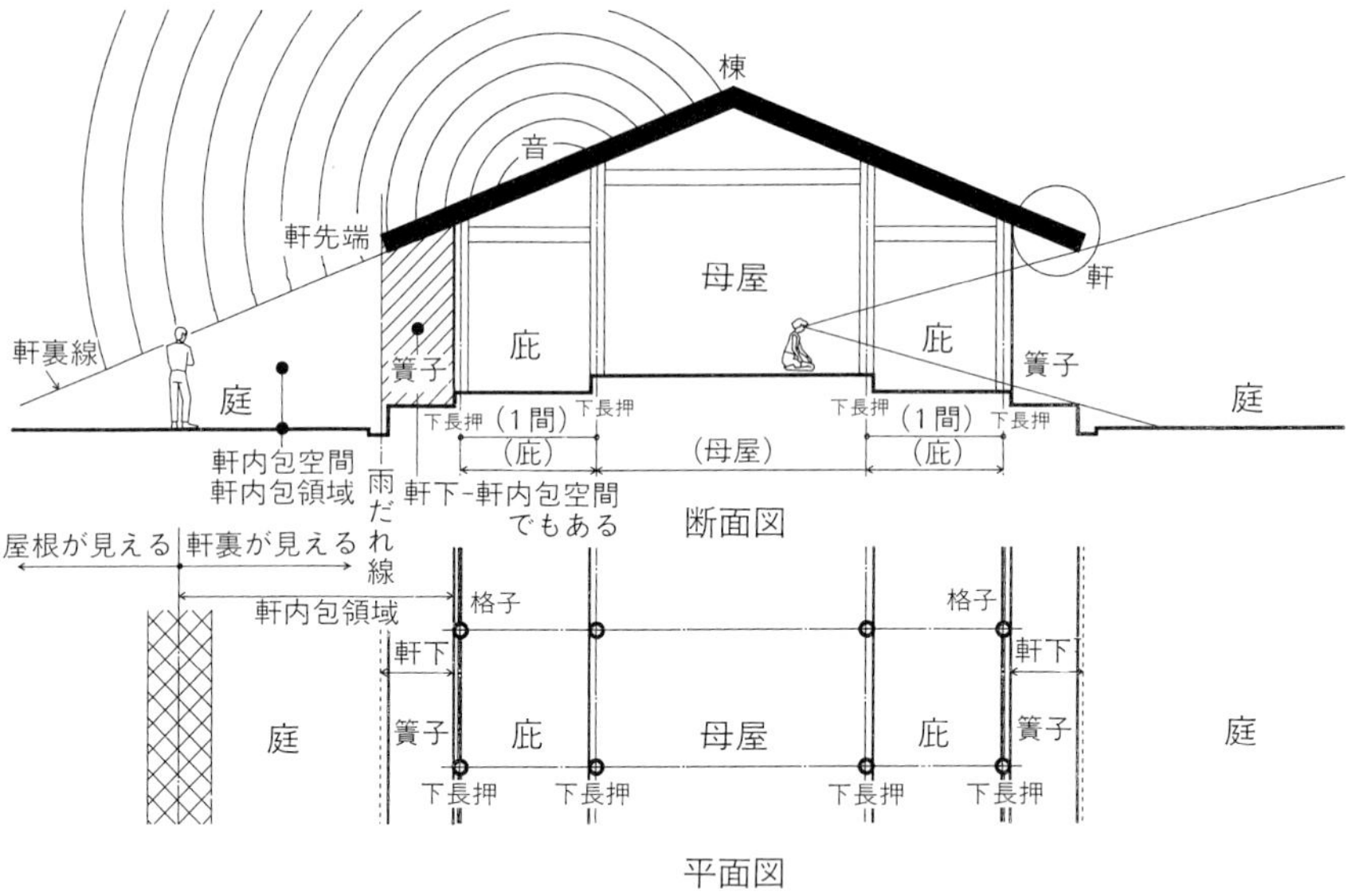

図５　母屋・庇・簀子・庭の断面空間構成図
（軒内包空間・軒内包領域　概念図）

動きながらとらえられてゆく空間と変わる。人の動きにつれ、床の高さがほとんど変わらないことによる、同じ眼の高さで移り変わる空間のシークエンスが展開することになる。ここに、寝殿造の特性のあらわれ、前の時代からの大きな変化がある。視線（視点）が定まることによって、それに合わせて建築、庭の空間が形づくられてゆく。

建物の上部構造は、寝殿造では、寝殿と廊は屋根や棟の高さを変えて、廊のほうを低くしながら差し込まれてゆく。廊自体は寝殿と対、あるいは、その他の建物とを機能的にあるいは形態的につなげるもの、装置、その手法でもある。ただし、寝殿造では両者（寝殿と廊）は構造的には繋がっていない。廊と対も構造的には繋がっていない。廊は、寝殿や対の軒の下に、その軒を差し込んでいるのである。屋根は、棟一つ一つが、独立して離れている[*一五]。

戸締り、「かけがね」は、各棟ごと、各殿ごとに、内側から行われる。夜、蔀戸《しとみど》、格子を下ろした後は、妻戸から入るしかない。各棟に渡って行くには、内側から開けてくれる人がいないと室内に入れない。源氏物語には、男がそこを開けて、また開けさせて、簀子《すのこ》[*一六]から庇を越え、母屋にまで入って行く手練手管が、詳細に描かれている。格子は、『紫式部日記』に、「ささぬ格子」とあるから、桟をさして施錠していたと思われる。棟ごとという単位は、構造ばかりでなく、施錠においてもなされていた。奈良時代、各棟がポツリポツリと、独立して建っていたときの方式がそのまま残った。後の書院造からは、空間、構造が全体的につながってゆく。母屋と庇の区別がなくなり、中心や奥に対する感覚も、寝殿造のものとはずれてゆく。空間が決定的に変わってゆく。

寝殿造では、廊は通路としても使われるが、そこに部屋（局《つぼね》・曹司《ぞうし》）がしつらえられたり、場合によっては、楽人の楽屋になったりもする。寺院建築などの回廊といった概念化された空間とは異なる。つまり、そこはある建物からある建物へ渡る場であり、また部屋にもなり、「回」というシステム化は徹底されてはいない。

そう見れば、寺院建築はコンセプチュアルな空間だったのである。寺院建築では、回廊は高床ではなく、地面とほとんど同じ高さである。各建物へは、基壇上へ登らなければならない。回廊での眼の高さと、基壇上での眼の高さは大きく異なる。両者の場での空間の見え方は違うのである。回廊に部屋はつくられない。回廊は機能を含むが、コンセプチュアルな装置といってよいだろう。

寝殿造が影響を受けたといわれている中国の四合院《しごういん》という住居形式でも、院子《いんし》という中庭を、回廊が囲って「回」システムをとっている。回廊は、土間形式で、院子より基壇的にあがったところを廻っている。回廊は院子に向かって開放的であり、各殿、房と床高さを同じにして廻ってはいるが、各殿、房は閉鎖的であり、庭への配慮は薄い。南に正門があるから寝殿造のような南庭はない。ゆえに、院子には自然が入り込む余地がない。わずかに樹木が植えられるだけである。

一方、寝殿造の廊は、寝殿、対の簀子や庇を通してつながってはいるが、それ自体で、「回」、サーキュレイションをシステムとしてもたない。棟としても別棟である。透渡殿、透廊は吹放ちになっていて通行の用に用いられるが、渡廊、渡殿は通行の用ばかりでなく、一部は室（曹司）としても使われた。『紫式部日記』に、紫式部が「渡殿に寝たる夜」とある。

廊は生活における移動と溜まりの空間でもあった。移動と、庭を見たり、庭の行事と関わった溜まりの空間であり、ときにそこに部屋がしつらえられた。

透廊、渡廊など二つ廊がある場合、通行において主・従、表・裏と使い分けることができる。そこでは、全体ではないが、壺（庭）をはさんで、廊、簀子、庇を介して、隣り合わせた建物同士の「回」システムが成立しやすい。

『紫式部日記』[＊一七]には、中宮彰子《しょうし》の出産のときの、透渡殿と渡殿の使い分けが見事に、聴覚までを刺激しながら描かれている。このように、渡るということにも、寝殿造は様々な装置を持つ。用法によっては「回」システムが成立する。

ただし、一棟の建物（寝殿や対）においては、母屋の廻りを巡る庇《ひさし》、庇の廻りを巡る簀子とい

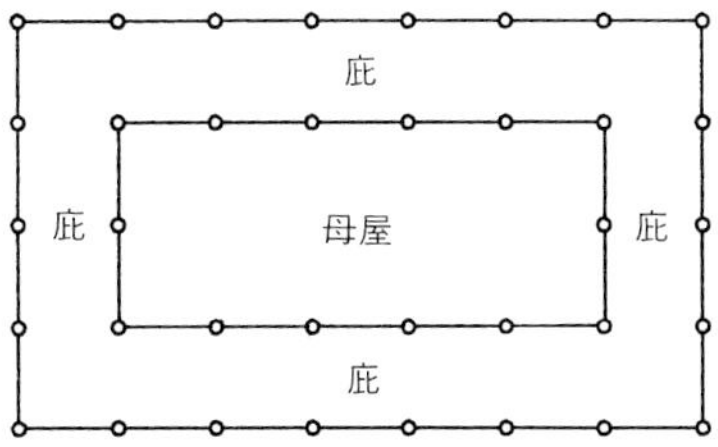

五間四面（間面記法）

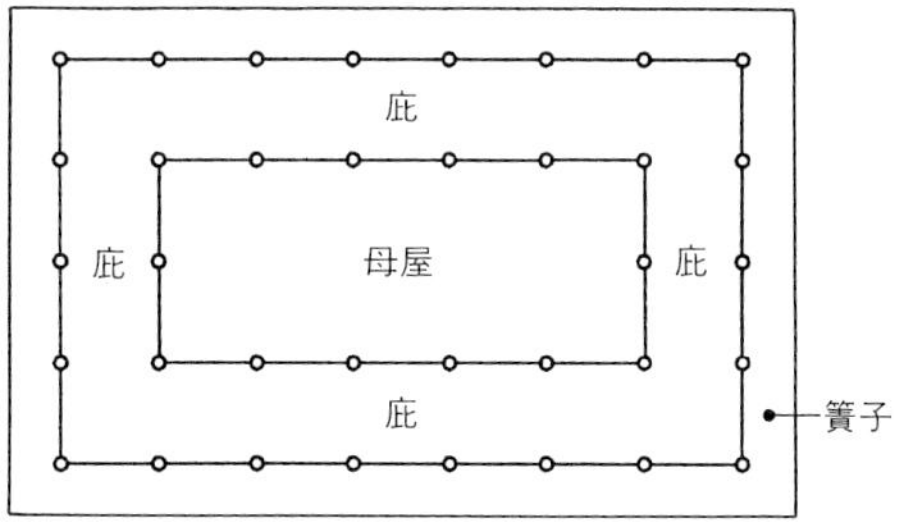

五間四面（間面記法）

図6　母屋・庇構成（上図）　母屋・庇・簀子構成（下図）

う「回」システムが存在する（図6）。

寝殿造は廊、簀子、庇を伝い歩くことで、内部すべてにアプローチしてゆける構成を持っている。平安時代の貴族達は、こうした建物構成を利用し、室礼を駆使して自分達の屋敷の空間、寝殿造をつくっていった。

＊四　太田静六『寝殿造の研究』吉川弘文館　一九八七年

＊五　泉殿は湧水の場所に位置し、「飲料水その他の用水」として、そしてとくに「気分的にも実質的にも夏の猛暑から逃れたい」場であることがその用途である（＊四前掲書）とされている。

＊六　釣殿の用途は釣り、池の魚や雪景色の観賞、花宴・月見の宴・詩宴の開催、納涼の場などである。書院造では全く姿

を消す（＊四前掲書）。

＊七　「寝殿造に於て寝殿前の池に臨んで釣殿と泉殿とが東西に並んで設けられたとする戦前までの通説が誤りである」、「東西に設けられる場合は、東西とも釣殿である」（＊四前掲書）。

＊八　庇とは、庇の間《ま》のことで、廂や廂の間とも記される（図5、6）。片持構造の庇は本書では対象としない。

＊九　対は正殿である寝殿の左右や後ろに造られる独立の建物で、かつては対屋《たいのや》とも呼ばれた（図3）。

＊一〇　この書でただ「門」と書かれたものは築地塀に開かれた外廻りの門のことを指す。「中門」とは別である。

＊一一　森田悌『長屋王の謎―北宮木簡は語る』河出書房新社　一九九四年

＊一二　長屋王は七二九年（天平元年）、藤原不比等の四子ら藤原氏によって自殺に追い込まれ、結果、不比等の娘・光明子《こうみょうし》が聖武天皇の皇后となる。以来、藤原氏の力が保持される。

＊一三　人の動き、その眼の動きにつれて眼に入る景色などが継起的に展開、変化してゆくこと。

＊一四　後世の能舞台の橋掛りや歌舞伎劇場の花道にも時間が組み込まれている。第二章の(1)「寝殿造空間へのインヴォルヴメント」の項、参照。

＊一五　本章(7)の「平等院鳳凰堂」参照。

＊一六　簀子とは簀子縁（外縁）のことである。外気にさらされた、吹きさらし（吹放ち）の軒下空間で、庇（庇の間）の外側にある（図6）。

＊一七　「まだ夜深きほどの月さしくもり、木の下をぐらきに、〈御格子《みこうし》まゐりなばや〉〈女官はいまださぶらはじ〉〈蔵人《くらうど》まゐれ〉などいひしろふほどに、後夜《ごや》の鉦《かね》うちおどろかして、五壇《ごだん》の御修法《みずほふ》の時《じ》はじめつ。われもわれもとうちあげたる伴僧《ばんそう》の声々、遠く近く聞きわたされたるほど、おどろおどろしくたふとし。観音院の僧正、東《ひむがし》の対より、二十人の伴僧をひきゐて御加持まゐりたまふ足音、渡殿の橋のとどろとどろと踏みならさるるさへぞ、ことごとのけはひには似ぬ」と。

まだ夜明けに遠く間のある、月が出ているなか、格子をあげる音、人々の声、勤行の鉦の音、僧たちの祈禱の声、僧たちが行き来する足音、渡廊の橋を踏みならす足音など、音を状況要因として取り上げ表現し、いつもとは違った緊張に満ちた雰囲気を周囲につくりだしている。後に述べる、源氏物語における聴覚を刺激する空間が、ここでも記述されている。

(ロ) 母屋・庇・簀子構成

寝殿造の個々の建物において、たとえば、寝殿、対といった当時の貴族達の多くの生活が営まれていた建物では、母屋・庇構成、母屋・庇・簀子構成（図5、6）があらわれていた。つまり、寝殿の構成、対の構成といってよい。

外部から見れば簀子→庇→母屋、内部から見れば母屋→庇→簀子という異なった空間の流れがあった。光源氏が外から「垣間《かいま》見た」女に近づいてゆくのは、簀子→庇→母屋という方向性である。それは、平面構成でもあり、空間構成でもあった。母屋、庇、簀子には、それぞれ空間に大きな差があり、その差は様々なグレードの差に利用された。母屋、庇は室内であり、母屋は庇が付く場合、その庇に囲まれて中心部分を占め、簀子は屋外吹きさらしの軒下空間である。庇があればその外側に付く。

簀子が付けば庇を取り巻き、母屋を囲う層が増し、母屋の中心性をさらに深めることになる。簀子が建物の四面に付かなくとも、取り付いた方向から見れば、あるいは、その方向からのアプローチでは、その方向の層が増す。その方向だけ層が増すことには意図が込められていると考えてよい。このことは、母屋に対する庇の取り付き方、取り付き方向についてもいえる。*一八後に詳述するが、「末摘花《すえつむはな》」の巻においては、光源氏が末摘花に会うことが認められてゆくのは、はじめは末摘花の住む寝殿前の簀子、つまり外部であり、次に庇であり、最後に源氏は、施錠された「障子」（今の襖《ふすま》）を壊して、母屋にまで押し入るのである。母屋、庇、簀子にはそれぞれ空間のグレード（空間的階層差）があり、源氏物語にはそれが表現されている。

また、女にとって、母屋→庇→簀子と「端」[*一九]に出てゆくことは、貴族の女性として作法にかなわぬことであり、するべきことではない、はしたないことと考えられていた。それがゆえに、「端」に近づくことが、禁断の行為のように源氏物語のなかに頻出する。つまり男の眼に触れやすいからである。それゆえ、このことから男と女の出会いが始まる。この点から見ると、寝殿造の寝殿、対といった建物の内部空間は、視線の通る透明度の高い空間であった。それをふさぎ、遮るために作法があり、物としては室礼があったのである。

このように男と女が女の家で出会うとき、「きまり」あるいは「禁」を破って動いてゆく方向は、男と女では逆なのである。

この三つの空間（母屋・庇・簀子）の差は、床《ゆか》の高さにもあらわれている。簀子→（下長押《しもなげし》）→庇→（下長押）→母屋と、下長押、敷居を介して次第に上がっていく。内部（母屋）側から見れば次第に庭に向けて下がってゆくことになる（図5）。

この逆は、あるとしても継子いじめの物語として有名な『落窪物語』[*二〇]にあらわれる、「落窪なる所」という、姫君が継母から「籠めてすゑ」られた一段下がった所といった空間であって、意図的におかれた質の悪い場所である。一般的ではない。それゆえに、わざわざ、「落窪なる所」と名づけられ、物語のタイトルにまでなる。「落窪なる所」とはおそらく外に向かって上がっていく空間、内に向かって下がってゆく空間であろう。寝殿造にはふつうはない。

こうした異常な状況を除けば、寝殿造では、内部からの視線は上部を軒先に水平に切り取られ、床が下へ下へと下がることで庭面に向けられる（図5）。母屋・庇・簀子構成とは、庭を観賞する視線をも取り込んだ構成であったのだ。母屋・庇・簀子構成には、その先に庭があることがイメージされている。母屋・庇・簀子・庭構成といってよい。

「帚木《ははきぎ》」に「長押《なげし》の下《しも》に人々臥して答《いら》へすなり」（1p87）[*一一]とあって、空蝉《うつせみ》の女房達は、母屋より長押一段下の庇（廂）の間《ま》に寝ていたことが理解できる。その家の姫君（空蝉）は、庇の間《ま》から一段上がった母屋で休み、女房達は一段下のところで休む。就寝することにおいても、母屋、庇の空間的使い分けが可能であった。こうした母屋・庇・簀子の間の高低差は源氏物語絵巻にも詳しく描かれる。

源氏物語絵巻の「鈴虫（二）」（図7）は、光源氏と冷泉院《れいぜいいん》（源氏と義理の母・藤壺中宮との間の子）が、庇で対面している場面であるが、ここには母屋・庇間《かん》の下長押、庇・簀子間の下長押が共に描かれている。母屋・庇・簀子構成が、源氏物語絵巻のなかで最もストレートに描かれている場面である。内部空間が、母屋↓庇↓簀子と下長押を介し下がってゆき、ついには庭とつながってゆく空間構成が描かれている。[*一二]

また、母屋は、庇に囲われることによって、直接、光が入り込まずに、光は庇を通過して、あるいは様々な「仕切り」を透過して入ってくる。[*一三]母屋と庇の間《あいだ》の「障子」（今の襖）を閉めれば、

図7　『源氏物語絵巻』「鈴虫（二）」（国宝・五島美術館所蔵）

光は昼でも入らない。庇も、格子や妻戸を閉めれば、光は入ってこない。庇によって囲い込まれた母屋は、闇を囲いとっているのだ。つまり、母屋・庇・簀子構成において、「仕切り」を開ける、閉じるとは、光と闇の空間の回路を開閉することなのだ。

源氏物語の主人公達は、寝殿造の母屋・庇・簀子・庭構成のなかで、その存在感を発揮していた。紫式部は、この空間性を徹底して利用し物語の展開に役立てた。

*一八　寝殿造は住居空間でもあり、さらに儀式にも使われたため多様な機能が求められた。母屋の四周を庇が廻り、その四周を簀子が廻ることが多かったと想像される。

*一九　「端」は、後に詳述するが、空間的、平面的に建物のなかで外部に近いほうという意味によく使われる。

*二〇　『落窪物語』は十世紀末頃（平安時代初期）書かれたといわれている。作者不詳であるが男

であろうと考えられている。継子いじめの最初の物語である。

＊二一　文中、たとえば（6p14）と表示してあるのは、新潮日本古典集成『源氏物語1～8』石田穣二、清水好子校注、新潮社の六巻一四頁からを意味する。また文中、特記なきかぎり、「校注」とあるのも同じ文献からである。

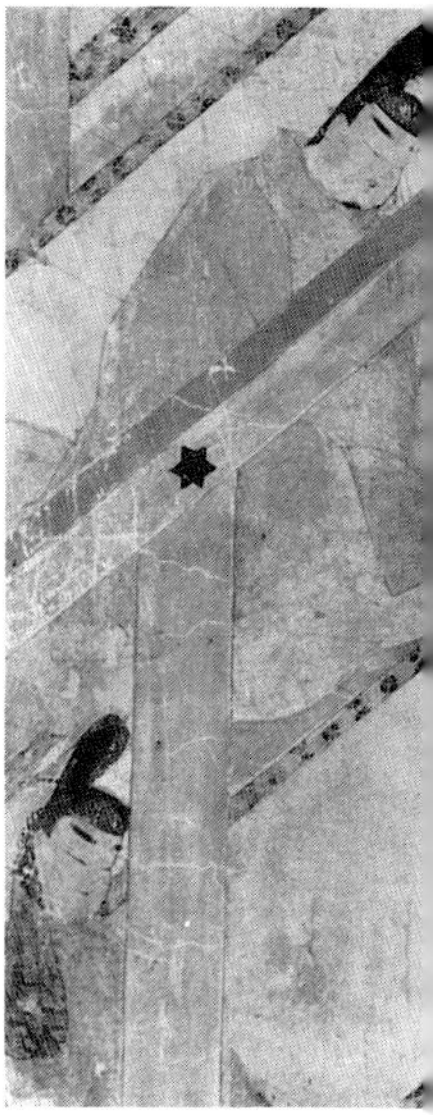

＊二二　下長押、敷居は必ずしも次の間、隣接する空間と高低差があるわけではない（図7参照）。同一平面的扱いをされることもある。同一平面であっても、下長押、敷居の存在はそれを挟む二つの空間を明確に仕切っている。その精緻な例が、書院造ではあるが、西本願寺対面所「鴻の間」の畳を南北三対一に分ける敷居の存在に見られる。このことについては拙書『日本の建築空間』の『奥行きの強調』参照。

＊二三　第三章(2)の「光と闇」のところでさらに詳しく述べる。

(3)　仕切り

(イ)　建築的仕切りと室礼

「仕切る」、「仕切り」ということが、日本の空間を、内部空間も外部空間をも形成する方法であったように見える。平安時代の寝殿造では、それが特化してあらわれている。

格子、蔀戸《しとみど》＊二四、板戸、障子＊二五が、何層にもわたって建て込まれることが、空間に奥行きを与えている。庇（庇、孫庇、又庇、広庇、土庇、捨庇）が付くことで、開口部、敷居が重なってゆき、そこに建具が入ることで、「奥」*二六が深まってゆく。戸がなく敷居だけでも、そこは、日本人にとって一枚の境なのである。それを越えることは、境界を越えることである。蔀戸、板戸、妻戸*二七、遣戸《やりど》*二八、障子、下長押、敷居を一枚一枚開け、越えてゆくことで、空間も一枚一枚「奥」へ開かれ深まってゆく。また庭にとっては、塀、垣根そして建物すらが「仕切り」である。

いま述べてきたものは、あくまで建築的なものだ。しかし日本の空間は、もっと奥へ奥へと深まってゆく装置、設備を持っていた。つまり、「総称して〈調度〉といい、〈調度立つる事〉を室礼とも装束とも呼*二九」ばれている、一時的におかれるもの、仮設的なものがそれである。それらには座臥具《ざがぐ》（筵《むしろ》、畳、円座《えんざ》、茵《しとね》、帳台《ちょうだい》*三〇）、そして屏障具（屏風《びょうぶ》、几帳《きちょう》、衝立《ついたて》、壁代《かべしろ》、簾《すだれ》、軟障《ぜじょう》、帽額《もこう》）、それ以外にも家什具《かじゅうぐ》、文房具、灯火具、飲食具があり、これらによって室内が何重にも重ねられ、空間が仕切られ、囲われ、差がつき、奥行きが深まる。これらも日本の「仕切り」である。

こうした、薄く、軽く、透けているような朧げで微妙で、たとえば、視線は通さないが風は通すとか、一方からの視線は通すが反対側からの視線は通さないとか、近くからは透けて見えるが遠くからは透けて見えないとかの、一時的で、季節的で、仮設的な屏障具が豊富なことは、日本人の壁に対する意識、仕切るということの意識をあらわしている。

たとえば、「壁代」という文字通り、カーテン様《よう》のものを垂らして壁に代える、つまりこうした薄く、たおやかな「仕切り」を壁として意識したとき、この日本人の壁の意識は、ヨーロッパ人の石や煉瓦を積んだ壁に対する意識とは遥かに隔たった地平にある。

こちらから見えるが向こう側からは見えないという装置、そう配置される装置が多いことは、自らを他から隠す、隔てるといった機能に使われているということだ。しかもその程度、様態が複雑多様にある。重ね、隔てることによって、空間も「奥」も深浅してゆく。こうしたものを、古代の寝殿造に限っても四百年以上も使い続ける、それが日本人の意識に深く影響を与えていると考えられる。こうした調度、装束、室礼は久しく時代を超えて使われてゆく。

平安時代初期の、継子いじめの物語とされる『落窪物語』に「落窪なる所」があって、その空間は、姫君が貧しいため「几帳、屏風ことになければ、よく見ゆ」、つまり寝殿造の空間は、こうした「仕切り」がなければ視線はどこまでも通ってゆくのであって、「屏風、几帳なければ、・・・しつらいなさむ方もなし」と、そうしたものがなければ室礼のしようもないというのである。室礼があってはじめて室内空間が成立するといっているのである。

姫君のところへの男の訪問に際し、あまりに何もないので、よく姫に仕える侍女が、「几帳一つ」を叔母のところに借りにやるほどである。こうして、この侍女「あこき」の機転で、「几帳」、「襲《かさね》の色目」（いわゆる十二単《ひとえ》）、「薫物《たきもの》」がそろい、男を迎える準備が整う。これが母屋・庇・簀子構成における男や客を迎える「三点セット」のようなものである。

「薫物」とは、香木を粉にして練り合わせたものである。「薫物合わせ」といった練り香の競い合いがあり、貴族達は自分達の嗅覚能力を愛で、研ぎすます機会をつくり、楽しんでいたのである。

つまり、匂いを含めたこうしたものすべてが室礼なのである。それは時と場に合わせた空間づくりなのだ。室礼が内部空間に様々な機能を与える。
そして室礼、「仕切り」が重なることによって奥、奥行きが深まる。

＊二四　格子は格子戸のことで蔀（戸）の形式。蔀とは格子の間に板を入れるか、格子の裏に板を打ちつけた上・下に分かれた戸のことで、多くは下は固定し、上蔀は古くは室外側に、新しくは室内側に水平にはね上げて掛け金で吊る。ふつうは簀子と庇の間に位置する（図5）。上・下に分けない一枚のものは立て蔀という。現在の格子と違い視線は通さない。

＊二五　平安時代の障子とは今でいう襖のことである。視線ばかりでなく光も通さない。

＊二六　「奥」については、拙書『日本の建築空間』のとくに第一章の1、2を前提にして記した。本書の第三章がその後の「奥」についての展開である。

＊二七　妻戸は寝殿造の一棟の建物の四隅に設けられた両開き（外開き）の厚板戸。

＊二八　遣戸は板の引戸。

＊二九　『日本建築史図集　新訂版』、日本建築学会編、彰国社

＊三〇　座臥具《ざがぐ》は人の場所、上下関係、位置関係を明確にあらわすものである。なぜ座ること、座を占めることがこうも重要なのか。座ることは配置を占めること、そこに長くいることを意味する。長くいることは定着や権威と結びつく。
帳《ちょう》、帳台は座臥具の一つであったが寝所となってゆく。源氏物語「鈴虫」に、帳台が帷《かたびら》を四面とも上げ、後ろのほうに曼荼羅をかけて仏壇として使われたことが書かれている。これは寝所として、なかが見えないように使われた帳台が、逆に、仏を見せる仏壇に室礼されたことを意味する。ここにはともに母屋内を仕切るものでありながら、人がプライバシーを保って就寝する所が、仏を安置するという全く異質の機能にすら変えられてしまう姿があらわれている。一方、共通性としては内部にある、入れる存在が大切なもの、仏や人であるということがいえる。こうした当時の貴族の空間に対する意識が気にかかる。

(ロ) 身体的仕切り

ここで取り上げる身体的仕切りとは、身体自体、また身体に直接、着けたもの、持ったもののことを指している。

着物を掛ける衣桁《いこう》（御衣掛《みそかけ》）なども、掛けられた着物を含めて空間を仕切るものに使われる。着物の「装束」も重ねることで場や状況、季節に合わせて変えられるが、こうした衣桁のように本来、空間を仕切るものではないが、仕切りとして重ねることで奥行きが深まることが意識されている。

女が手にした一枚の扇ですらが仕切りを重ね、奥行きを重ねる。女はあらゆるものを使って「物越」に人と接しようとする。装束の袖すらが顔を隠すことのために使われる。女を見ようとする男にとっては、そうした一枚一枚が「奥」につながってゆく。

後に詳述するが、母屋に囲い込まれた闇も隔て（仕切り）であった。光源氏によって仕掛け放たれた蛍の光によって、母屋の暗闇のなかに姿を見られた玉鬘《たまかずら》は、扇で顔を隠そうとする。「扇をさし隠したまへるかたはら目、いとをかしげなり」（4p63）と、闇のなかでわずかに蛍が放つ明滅する光の中ですら玉鬘は顔を隠そうとする。その横顔に趣があるというのだ。顔の前に遮るものがあったほうが、すべて露出して見えるよりも興趣があるというのである。こうした前後に重なったあり方で見える日本的パースペクティブが、源氏物語のなかには様々に描かれている。しかもここでは、闇のなかの淡い蛍の光の明滅が仕切りを重ねている。

髪型ですら「額から頬わきにかけての毛髪を、分け目から一、二尺に切り揃えて、両肩にかかり、横顔を隠すようにした」(『枕草子』[*二] 萩谷朴校注) ものとし、顔そのものができるだけストレートに見えない工夫がなされている。清少納言（一〇〇〇年頃）は、その「下《さ》がり端《ば》」、つまりカットされた末端が美しい人は羨ましいといっている。

この勝気な清少納言ですら、枕草子のなかで、大納言・藤原伊周《これちか》（清少納言が仕えている中宮定子《ていし》の兄）に面と向かって対面するとき、消え入りそうに恥ずかしがる。伊周が「いと近うゐたまひて、ものなどのたまう」と、清少納言は「御几帳《みきちょう》隔てて、よそに見やりたてまつりつるだに、はずかしかりつるに、いとあさましうさし向かひきこえたる心ち、現《うつつ》ともおぼえず」と、几帳を隔ててただ眺めているだけでも恥ずかしいのに、顔を突き合わせている気持ちは正気とは思えない、そして「扇をさし隠す」（校注・扇で顔を隠す）、しかし伊周は「捧げたる扇をさへ、取りたまへる」。扇も取られ、今度は清少納言は「ふりかくべき髪」で顔を隠そうとする。さらに、それでも効果がないので今度は、「袖をおし当てて、うつ伏しゐたるも、唐衣に白いものうつりて、斑《まだら》ならむかし」と、袖や白粉《おしろい》までもが女にとって隠れることと結びつけられ意識されている。まさに身体的仕切りである。つまり、几帳→扇→髪→袖→白粉までも女が自分を隠すことの一枚一枚の「仕切り」なのだ。さらに、それが役に立たなければ、身振りで、うつ伏して身を隠そうとする。これらがみな「仕切り」と関わっている。

人間すら鋪設《ほせつ》（室礼）に組み入れられる場合もあった。衣装に「襲《かさね》の色目」という言葉がある。いわゆる、後世、俗に「十二単《ひとえ》」と呼ばれる女房の衣の重ね着の色の配合のことをいうが、「にほひ」ともいう。着物も一枚一枚の層の重なりなのだ。その奥に肉体が隠される。

儀式のとき、女房が衣の袖や褄を簾の下から外へ出すことを、「内出《うちいだし》」「押出《おしいだし》」（図9）というが、儀式にはそれを晴の装いとして見せた。簾の内側から、つまり女房側から外は見えるが、外から女房の顔は簾に隠されて見えない。女房達は簾に接するように座しているため、簾の編んだ竹や葦の隙間から物越に外を見ることができた。簾にはそうした機能がある。男達にはその女房達を直接に見ることはできないが、「内出」や「押出」のとき、「襲の色目」からそれがどの女房かわかったという。しかもそれを晴の装い、室礼、装束の一つに「鋪設」しているのである。人間をである。

男達にもある。縁側にひかえる公卿達は、束帯《そくたい》の裾（下襲の裾）を高欄にかけて装束の一部とした（『駒競《こまくらべ》行幸絵巻』、『年中行事絵巻』「朝覲行幸《ちょうきんぎょうこう》」＊三一図8）。重ねることの美意識と同時に、見る、見られることに繊細なまでの技巧が駆使されていた。そこには人の動きまでが含まれており、それが儀式を構成し、演劇的空間にまで高まってゆく契機を包含していた。

こうした、人間までも取り込んだ鋪設による空間構成は、「絶対的」に、隔絶して仕切る西欧の「壁」とは違った微妙に差のついたグラデーションのある場をつくりだす。奥行きをつくりだすということに関しての、隠し方、あらわれ方、深まり方は尋常ではない。開放的な寝殿造に室礼の並ぶさま、そこに貴族の集うさまは、光彩陸離《こうさいりくり》たる有り様《よう》の一時《いっとき》の定着であろうか。

＊三一　『枕草子』は、当時の貴族の女性（清少納言）の価値観が連想、類想を通して次から次へと描かれてゆ

（田中家所蔵・日本の絵巻８・中央公論社）

く。「すさまじきもの」「にくきもの」等々。

＊二二　ふつうは正月二日、天皇が父帝、母后の宮に行幸すること。

(ハ)　室礼《しつら》ふ

儀式的なものほど鋪設（室礼）は複雑となり、行事によって装束が変わった。こうした鋪設で室の機能が決まってくる。寝殿造では、寝殿や対のなかは均質的空間＊二三で何に使われるか決まってはいなかった。室礼、鋪設でそれが決まった。ことに寝殿造では、接客空間が独立していなかったので、日常と非日常とを使い分けるのはこの室礼によっていた。日常の場も、儀式・行事の場も室礼によって機能づけられた。儀式ばかりでなく、日常生活においても四季が移るに従って住まいの室礼を変えた。「更衣《ころもがえ》」（夏四月一日、冬十月一日）である。

また、お産のとき、室礼、装束が白に変わった。その白一色の世界の有り様を、藤原道長の長女、一

図８　『年中行事絵巻』巻一「朝覲行幸・舞御覧」

条天皇の中宮彰子《しょうし》が土御門殿《つちみかどどの》で、つまり父・道長の邸（道長の妻・倫子の家ともいえる）でお産をしたときの有り様を、紫式部がものの見事に『紫式部日記』に、目に見えるように描いている。

それればかりではない。女房達の白い衣装が重なり、「ただ雪深き山を月のあかきにみわたしたるここちしつつ、きらきらと、そこはかと見わたされず、鏡をかけたるやうなり」、鏡のようだとし、しかも一方で、「よき墨絵《すみゑ》に、髪どもを生《お》ほしたるやうに見ゆ」と、そうした白い背景が髪を、白い紙の上の墨絵の墨のように見せているとし、さらに「色々なるをりよりも、おなじさまにさうぞきたる、やうだい、髪のほど、くもりなくみゆ」と、すべてが白いという背景が、形をかえってはっきりと見えさせるとも指摘している。白の背景に物（髪）の形が重なってその遠近のパースペクティブのなかで自らの眼で見ている描写であり、驚くべき観察力である。形を感受する感覚がいかに研ぎすまされていたことであろうか。

『紫式部日記』の観察、活写は『枕草子』に勝るとも劣らない。空間を表現しているという意味では圧倒的に紫式部のほうが優れており、その空間への感性に圧倒される。このように、室礼、装束、調度、鋪設（仕切るもの、障子を含めて）が建築の内部空間を決定的に変えてしまう顕著な例がここには描かれている。

＊二三　ただし、母屋と庇という大きな差が寝殿にも対《たい》にもある。このことを前提としての、それぞれのなかでの均質的な空間である。

(二)　外部空間を仕切る

では、建築の外部空間をその時々で変えたのは何であったのだろうか。それは庭園であり、その自然の変化であった。それによって、空間は決定的に時間とともに変わっていった。一つには四季という抽象化[＊二四]によって、一つには庭という自然の抽象化[＊二四]によって、時間すらもが抽象化された。それは自然の時間の流れにつれてであった。そして外部空間は、「作庭」という人間の自然に対する抽象化の行為を介しても変わった。

外部空間においては建物自体が仕切りであった。庭は築地塀、建物によって仕切られ、間《ま》を空けられ、建物の下には遣水《やりみず》が流され、外部空間は立体的に構成された。水は流れ、池にまで行きつき溜まった。池をつくるために掘られた土は、山を築き（築山）、視界を仕切り、敷地のなかに人工的な高さをつくりだした。水の流れにつれて景色、シークエンスは変化し、そこにも自然の空間、時間が抽象化されていた。

空間の手法としても、たとえば、「火障《ひざわ》りの木」は、灯籠《とうろう》の前に立つ樹で、火（火影《ほかげ》）を直接見せず、透影《すきかげ》として見せるための装置、手法である。これはあしらい木といって、灯籠ばかりではないが、ものに寄り添って立てられ、遮るばかりでなく、何かの役割を担わせられる。つまり、こうした木は何かと関わることによって意味や空間の奥行きを深める。前景、中景、背景といったパースペクティブが奥行きを明快に発生させる。

このような手法が確立するのは、時代がかなり下ってからと思われるが、すでに紫式部日記の、中宮彰子の男子出産の日の夜の土御門殿の庭の情景描写に、「池のみぎは近う、かがり火どもを木の下にともしつつ」と、そうしたことの先駆が見えている。池と木とかがり火と三者の前後への重なりが、夜の闇を通して観察者の視線上に浮かび上がる。闇のなかに姿を隠していたものが、火を配すること、光によって前後に浮かび上がってくるパースペクティブが描かれている。

＊三四　「四季という抽象化」、「自然の抽象化」については第二章(1)「寝殿造の庭」を参照。

(ホ)　垣間《かいま》見る

源氏物語には、こうした日本の空間の「仕切り」、垣越えに見ることが徹底して描写されている。光源氏が、幼い若紫（紫の上）を北山に見初《みそ》めるのも小柴垣越しにである。この「若紫」の巻は、

『伊勢物語』の初段から想を得ていて、そこでも「昔男」（在原業平）が美しい姉妹を見るのは、「かいま（垣間）見」るのである。「むかし、男、初冠《うひかうぶり》して……狩《かり》に往《い》にけり。その里に、いとなまめいたる女はらから住みけり。この男かいま見てけり」と、垣根の狭間から見るのである。源氏物語で、後に薫が、いわゆる宇治十帖のなかで、大君《おおいぎみ》、中《なか》の君《きみ》姉妹を見るのも、透垣《すいがい》を通して垣間見るのである。

つまり、遮るものがあって、それ越しに見ることが日本の古い文学には徹底して描かれていた。隔てるものを通して見えたり、隔てるものの隙間から見える姿、「透影《すきかげ》」が描かれる。「鈍色《にびいろ》の御簾に、黒き御几帳の透影あわれに」（「朝顔《あさがほ》」）、つまり、「御簾」越しに几帳が漏れ見えるのが風情があるというのだ。ここには何重にも重なった空間が表現されている。

(へ)　物越《ものごし》に見る

男と女が会う、見るのは「物越」であったり、「格子のはざまより」であって、直接、面と向かうことなどまずない。両者を隔てている簾、几帳、障子、つまり「仕切り」を隔てて会う、それを越えて見ることを意味する。光源氏がいつまでも彼を待ち続け、荒れ果てた家に住まざるをえない末摘花と再会する（「蓬生《よもぎふ》」）のは、「あさましう煤けたる几帳」、つまり汚れ切った几帳越しである。汚れていて男に見せるのも恥ずかしいが、なくてはならない几帳なのである。

当時、女性にとっては、几帳や屏風からはみだして見えないように振舞うことが、奥ゆかしく作法[*二五]にかなったことであった。それゆえ、かえって人々はその人を見たい、その人の声を聞きたいと思う。だが、それは見えたとしても、「仕切り」越しに「ほの見える」、つまり漏れ見えるのであり、「ほの聞こ」えるのである。几帳には縫い合わせていないところ（綻《ほころ》び）があり、そこから向こうを見たり、風を通したりした。こうした「障り所」の重なりを隔てて、「簾のつまより、几帳のほころびに透きて見え」（「総角《あげまき》」）るのである。幼い光源氏が、実の母・桐壺更衣の面影に似た継母・藤壺を見るのは、「漏れ見たてまつる」のであって、直接、面と向かって見るのではない。源氏元服前の話である。

　しかし、物越に見ているからといって女達が必ずしも正確に、詳しく見ていなかったわけではない。『紫式部日記』には中宮彰子《しょうし》の近くにいて、「くはしくは見はべらず」、「柱がくれにて、まほにも（まともには）見えず」といいつつ、物事を見極める紫式部の優れた観察力が描写されている。男達も物越に見る見方を普段から研ぎすませていた。

『枕草子』に「例の、夜いたく更けぬれば、御前なる人々、一人二人づつ失せて、御屏風・御几帳のうしろなどに、みな隠れ臥しぬ」と、眠るときも女房達は屏風や几帳の陰に隠れ、就寝する姿が描かれている。身分の高い者は帳台のなかで一人休めもするが、女房達は、一つの室のなかに各人がそれぞれに屏風や几帳などの仕切るものを使って、自分の隠れる場をつくって休むのである[*二六]。ここには、一つの室のなかに散らばって自らの場を占めて生活している、また、その仕切られた場を溜まり場として動く女房達の姿が描かれている。

　源氏物語には直接、描かれることは少ないが、こうした女房達が姫君の廻りに控えていたのである。紫式部日記には、そうした女房達についての詳細な記録が描かれている。

『源氏物語』では見えるというとき、その見え方は何々越しに見えることがふつうであって、眼の前の一番手前のものを直接見ることは珍しく、たとえ、それがあったとしても、その前、その先、その後ろに何かがあることが暗示されている。彼らはそうした空間、そうした「仕切り」のなかにいるのだ。そこでは、いくつもの隔てが重なっている場を越えて視線が進んでゆくことが、空間を見ることとなのである。

「奥」という言葉も日本の空間にこうした重なり合った空間性があるからこそ、しばしば使われ、しかも、空間に即して多様に使われていると思われる。

たまには、そうした何重もの「仕切り」をかいくぐって視線が進むこともある。女房達が作法を駆使し、見えないようにと室礼した「仕切り」を視線はかいくぐる。「几帳どもの立てちがへたるあはひより見通されて、あらはなり」(8p145)(「蜻蛉《かげろふ》」)と、つまり奥ができるだけ見えないよう几帳を何重にも互い違いに立ててあるのを、たまたま、その隙間から奥まで見通してしまうことをいっている。ここで薫は女一の宮を垣間見、見初める。

こうした見え方(垣間見)があって、それを契機として源氏物語の物語性が展開する。蹴鞠《けまり》の日、猫が簾を引っ張って引き上げてしまい、そのため柏木が女三の宮(光源氏の正室)の姿をはっきりと見てしまったがために、二人の悲劇が始まり薫が生まれる。源氏物語では見る、見られるが、物語の展開に動的拍車をかけ、見られ方、見方に物語の展開の仕方が方向づけられる。源氏物語における、こうしたものの見え方が日本の空間に大きな影響を与えている。

＊三五　そうした作法を軽んじたがために、光源氏の正室・女三の宮は柏木にその姿を見られてしまう。そこから悲劇がはじまり、柏木の子（薫）を宿す。
＊三六　女達は、それぞれ均質的な空間である母屋や庇のなかを「仕切り」で室礼して使っていたのである。

(ト) 闇のなかに見る

一つの「仕切り」によって分けられる二つの場は、一方が見る側であり他方が見られる側であったり、ともに見る側であったり、ともに見られる側であったりもする。そうした遮りが重ねられるのは、「仕切り」や垣、塀ばかりではない。日本の空間の暗がりまでもが重ねられる。光源氏が末摘花の顔（長く赤い鼻）を見て驚くのは、一度、通《かよ》った後の朝の光のなかでの話である。[＊三七]

この末摘花のモデルとなったと思われる男の話が『落窪物語』にでてくる。「面白の駒」（顔が白くて面白い、白いがかけあわされている。馬に似た顔の男、またの名を「殿上の駒」そして名前を兵部少輔《ひょうぶしょう》）の話である。ここでも「火のほの暗きに」悲喜劇（tragicomedy）が起こる。暗いがゆえに、女房達が待ちかまえていたにもかかわらず、「入れたてまつりつ」、つまり、姫（四の君）の室に入れてしまう。そして相手が誰かわからず、「女（四の君）、かかる痴れ者とも知らで臥したまひにけり」。そして子が宿る。つまり暗闇はこれらの物語の重要な舞台装置であり、人の眼を紛らす「仕切り」なのである。闇が物語を展開させる。

また、光源氏が玉鬘《たまかずら》の姿を兵部卿《ひょうぶしょう》の宮（蛍宮）に見せるには、二人が会っている暗がりに蛍《ほたる》を飛ばさなければならなかった。蛍の光のなかにやっと玉鬘の姿が浮かび上がり、それが女《ひと》を見たことなのである。この虫の光が照らす空間に息をのむ。

夏の蛍である。六条院、花散里《はなちるさと》の住む夏の町の西の対《たい》に、源氏によって住まわされた玉鬘は、あの「なにがしの院」で、源氏と一緒にいて、闇の中からあらわれた物の怪《け》に襲われ不幸な死を遂げた夕顔の娘である。つまり夕顔と玉鬘という母と娘の物語は、紫式部によって闇を介して関係づけられ進行させられていたのだ。闇がこの二つの物語の共通媒体なのである。

この蛍の光によって暗闇のなかに女を見せる、つまり男と女が会うという壮絶さは巻名の「蛍」という言葉を見るだけで陶然としてしまうが、暗闇のなかで視覚を徹底的に研ぎすまし、内部空間を把握するという、見ることの極致がここには描かれている。

照明は、使うとしても明るければよいのではない。直接に照らせばよいというのでもない。「帚木《ははきぎ》」の巻にあるように「火ほのかに壁にそむけ」(1p65)、つまり、壁に明かりを向けて間接照明にして、男を迎える場の支度をした室を照らすのである。その淡い光のなかに室礼の重なりが暗く浮かび上がる。

＊二七　源氏物語における光によってあらわれてくる空間については、第三章で詳しく記す。

(チ)　物越《ものごし》に聞く

しかも、源氏物語のなかの空間は、視覚によって感じとられるだけではない。たとえば、源氏物語には匂いによってあらわれてくる空間が描かれている。「そらだきもの（室内を匂わす香）、いとけぶたうくゆりて、衣の音なひ（衣ずれの音も）、いとはなやかにふるまひなして」（「花宴《はなのえん》」）とある。匂いばかりではない。「引きならす」などという言葉も、絹は引きずったり、引っぱると衣摺《ずれ》の音を伴うのでこうした表現が出てくる。人のいる気配、人の動く、近づく、遠ざかる気配は、この衣摺の音が聞く人に仄《ほの》めかすのである。ひとはそれを聴こうとする。それが相手を知ることである。

つまり、匂いや衣摺の音にまで徹底して敏感な貴族達の感性がある。目で見えなければ聞こうとする。「見ゆやとおぼせど、隙もなければ、しばし聞きたまふ」（「帚木《ははきぎ》」）と、今度は耳に頼る空間が目の前に広がっていくのだ。視覚のみでなく、まさに五感を駆使して、相手、女を、男を知ろうとする場が広がっている。

彼らが家という空間のなかで聞くのは、「心にくきけはいあまた聞こゆ」（「賢木《さかき》」）というけはいなのだ。気配によって空間を、人を、識別し、探り、知ろうとする。その気配とは、見るだけではなく、耳や五感を通して感じとられるもののことなのである。つまりそうした、空間に凄まじいまでの感受性をそなえた人々に、空間は見られ、聞かれていたのである。

(4) 絵巻物の見え方

(イ) 図法の特性

日本の独特な造形方法である絵巻物のなかの絵の、俯瞰図、斜投影図が基本になっている描き方（多視点が多いが）（図7、8、9）は、平面や立面の重なりが絵のなかに描かれているといえる。それゆえ、その鳥瞰的視線は説明的になりがちだ。むしろ、その説明的要素を徹底して利用しているように見える。絵巻物や洛中洛外図は、俯瞰図であることによって、物語の展開や建築空間、都市の見え方を、観察者に丁寧に説明している。

絵巻物の人物達は配置されているのだ。その配置されている状態、配置図が明らかにそこに提示されているのが絵巻物である。そこではもの、人物を配置することが重要なことなのだ。室礼とはものの配置であり、それに従った人の配置でもある。建築の配置、空間の配置、調度の配置と共に人物が配置されている。それは空間構成のなかに人物を配するということだ。

それは絵巻物の平面性をも語っている。その平面性とは平面を描くという意味での平面性である。だがまた、絵巻物は立面という面を描くという意味での平面性も持ち合わせている。小津安二郎の映画のなかの室内の場面にはこうした絵巻物のなかの空間把握がじつに巧妙に取り込まれている。*三八絵巻物も、たとえば『年中行事絵巻』[*二九]（図8）を見ていると、建物もだが、建物と建物との間、この空間《あきま》をどう埋めているかを読んでゆくのに興味をひかれる。年中行事ということもあるが、そこには人間が配されている。行事や儀式における最中《さいちゅう》と共に、待ちや控えの場が描かれている。平行投影図法（斜投影図、軸測図）が、基本的に選ばれたのは、同じ大きさの面が重なってゆくことが都合がよいからだ。同じ大きさで重なった面を一つ一つ描いてゆける。絵巻物の観察者にとっては、見ている一場面が常に「今」、現前である。ただしそれは前の場面からの継起である。その「今」が並んで巻物を形成している。

平行投影図は、同じ方向であれば、どこも同じ大きさの立面が並ぶことになるから、その都度、見ている立面に臨場感がある。眼がその場面のディテールを探るとき、部分部分が同じ大きさの場面は、人の眼が細部を見ることを徹底させるし、比較もしやすい。

とくに室内を描くときの「吹抜屋台」[*四〇]（図7）は、屋根、天井をはずして俯瞰によって描くことで立面の重なりが見えてくる手法である。この図法により今まで記してきた日本の「仕切り」がほとんど見えてくる。そして床や地面の平面の上に人や、ものの配置が丁寧に描かれる。時間の経過は観察者の視線の移動である。観察者には自分の見方を見てゆく視線の動きが感じられる。つまり多視点がそれに影響し、そこで部分が、またディテールが強調される。

平行投影図法は消点を持たないから、平均的に拡がった視点が設定されている。つまりどこに焦点を当てるか、視線を注いでゆくかは、図法からは制約を受けず、観察者の自由であり、それが観察者自身の見方なのである。

絵巻物全体は、巻きながら詞《ことば》書《がき》や雲煙（「すやり霞《がすみ》」）で仕切られた各場面を見てゆくことになる。各場面が仕切られていないで連続していくものもある（『信貴山縁起絵巻』『伴大納言絵巻』）。巻物だから右から左へ物語が移ってゆく。斜投影にすると右から左へ物語の展開が自然に進む。それを消点を持つ透視画法で奥行きを感じさせようとすると、絵巻物という方法では段々と小さくなってしまう。

透視画法（たとえば一点透視図、平行透視図）という方法は、絵巻物のなかの部分的描写にはよいとしても、絵巻物全体としては適していない。逆にいえば、絵巻物やその他の絵を描く方法の基本に斜投影図が選ばれたことに、日本の空間的特性もあらわれている。こうもいったらいいだろうか、日本の空間は面が重なってあらわれるがゆえに、こうした図法が選ばれたのだともいえる。

この図法によって、日本にあらわれる仕切り、寝殿造における装束、室礼、鋪設が事細かく重なっている様《さま》を徹底して描くことができた。それは外観ばかりでなく内部空間を徹底して描いていた。平面（plan）も描くことができた。これらの絵は日本の建築空間を見事にとらえていたといえよう。文字だけでなく絵もまた、日本の空間を正確に表現していたのだ。それは重なりを描くことで日本の空間の奥行きをも表現していた。

絵巻物を広げるにつれて、話も、絵も「奥」に進んでゆく。絵は初めは隠れている。絵巻物のなかには長い空間が巻き込まれている。少しずつ伸ばし広げてゆくことによって、物語も、時間も、空間もあらわれる。こうした時間・空間の表現は世界にも類をみない。

平安時代、内部空間が重視されていたことは、絵巻物における「吹抜屋台」という図法を見れば明らかであるが、以後内部空間への視線が次第に薄れてゆき、明治以後は外観重視が徹底する。[*四一]飛鳥・奈良時代、大陸の建築様式が入ってきたとき、仏教建築においても外観重視が進んでいた。そのことは塔、堂、門など重層建築には二重目以上に内部空間が無く、重層化は外観のためであったことで知れるが、建築が日本化するなかで、平安時代に寝殿造があらわれ、その空間を表現する「吹抜屋台」という図法があらわれたのは、日本に独自の内部空間があらわれ、内部への視線、それを表現する方法があらわれたことを意味する。このとき、日本は独自の日本の空間を獲得したのだ。この内部空間への視線を忘れてはならない。

＊三八　拙書『日本の建築空間』の「小津安二郎の構図」参照。
＊三九　『年中行事絵巻』は平安時代末期の貴族の一年の年中行事を描いたものであり、日常生活を描いたわけではない。一一七〇年代後半の成立といわれる。ただし、庶民の住居も一部描かれている。
＊四〇　「ふきぬきやたい」とも「ふきぬけやたい」とも呼ばれている。
＊四一　拙書『近代日本の建築空間』参照。

(ロ)　闇への光

日本建築[*四二]には天井裏、屋根裏という膨大な闇の空間があることを、拙書『日本の建築空間』[*四三]及び『近代日本の建築空間』[*四四]で指摘した。内部空間よりボリュームが大きな場合が多々ある。その闇・虚の空間がはずされることが平安時代の絵巻物の手法、「吹抜屋台」（図7）である。これはまさに、天井裏や屋根裏がはずされ、吹抜けてしまい、視線が、あるはずの闇の空間を抜けてしまい俯瞰する。それは現実にはありえない視線なのだ。だからこそ、この視線をつくりだした当時の貴族達の意図が読まれねばならない。

この図法が我々にとって非常に明快に見えるのは、天井裏、屋根裏といった不合理な闇の空間が取り外され、そこを通して見ることができるからだ。不合理性がはずされ合理性が見えてくる。「吹抜屋台」は平安時代の合理的見方の象徴なのである。そこには全体への見方の志向性がある。

現実の視点からでは、寝殿造の内部空間を歩く人物には、一つ一つの室礼が見えるだけで、その「奥」は見えない。自らが動くことによって継起的に見えてくるだけである。つまり、ひとが目の前にある空間全体を知ろうとすれば自らが歩き廻って知るよりない。寝殿造は「仕切り」を越えなければ、「仕切り」一枚の先ですらわからないのである。「吹抜屋台」は、そうした室礼の配置（つまり平面）と、姿（つまり立面）を共に一目で見せる、表現するのに適した方法であったのだ。しかもそれは内部空間だけにこだわらず、外部空間をも、また、内・外の相互関係をも全体的に表現できた。日本の建築空間が持つ奥行きを合理的に、全体的に見せる方法であった。

しかし、そこにはもともと屋根裏、天井裏という暗闇が上におおいかぶさっていたということを忘れてはならない。室内空間とは天井がふさがれてはじめて、現実的にはあらわれるからだ。だがそれゆえにこそ、屋根裏をはずすことによって表すという合理的な方法、操作を考えついたことの重要性を評価しなければならない。それによってあらわれてくる空間の意味は重要である。

当時の貴族は、屋根や屋根裏という闇の空間をはずすことの意味を知っていたことになる。

ヨーロッパがルネッサンスに、透視画法という個人の視点を獲得したとすれば、日本は平安時代、「吹抜屋台」という全体をとらえる視点を獲得したといってよい。「吹抜屋台」という視線はそれまでの外国からの影響を受け続けてきた日本、そして古代的政治・宗教の不透明さに対し、自力で光を当てる行為であった。それが天井裏という日本の建築空間の膨大な闇の空間を取り外すことによってなされたことは象徴的である。闇への光だったといってよい。

寝殿造の建物自体が基本的には明度の高い空間であった。平屋であり重層した階を持たず、それゆえ、一階内部空間および内部空間と庭との関係が究極的に問いつめられていった。源氏物語には、後に詳述する、主体の位置に関わりなく外部空間に近づく方向性を持った「端」という言葉など、光や外部空間を暗示した表現が巧みに使われている。

また、建物の構造体は内外に露出しており、その間《あいだ》を多くは壁ではなく開閉のできる「仕切り」(戸)で建て込んだ。床下は高床であいており、遣水《やりみず》や庭のアンデュレイションが流れこんでいた。そして「吹抜屋台」はいわば室内空間という六面体の最後の天井裏という闇の空間をはずしたのだ。そこに、闇を通して、平安貴族の光り輝く世界を、平面、立面、配置、内部空間・外部空間の関係を含めて光のもとにさらしたのである。それは寝殿造の透明な面を明快に示すことでもあった。

＊四二　本書では「日本建築」は日本の「伝統的」な建築という意味で使っている。

＊四三　拙書『日本の建築空間』第二章５「日本の内部空間への契機」参照。
＊四四　拙書『近代日本の建築空間』四章９「日本建築に隠された闇の空間」参照。

(ハ)　源氏物語絵巻

源氏物語絵巻も俯瞰図、斜投影図であるが、場面によってその角度を変えたり、角度の方向を変えたり（逆勝手）している。そうしたことに物語の内容との関係が考えられるが、あくまで俯瞰図、斜投影図であり、立面の重なりや平面的な人、ものの配置を丁寧に描写してゆくことに変わりはない。源氏物語絵巻は俯瞰によって「仕切り」が仕切っていることがわかるように描かれている。

そして、一人一人の人間の画面の前後関係のパースペクティブは、位置関係としては明確であるが、人物の大きさにおいてはパースペクティブを忠実に表してはいない。異様に小さな人影、人物像が配置されたりする。「東屋（一）」における中《なか》の君、「東屋（二）」における浮舟、「御法《みのり》」における明石中宮、いずれも消え入りそうに小さい。そこに源氏物語絵巻独特のパースペクティブを感じる。その小さな人物像に焦点をおき、廻りに視線を拡げると急激な遠近感の変化、空間のゆがみに引き込まれる。その逆に、絵巻全体を見、一気にその人物に視線を集めても空間のパースペクティブがゆがむ。そうすることで、その小さな人物像に読者の視線を強く引きつけ、空間を見ることが意図されている。

現存する源氏物語絵巻は十二世紀に描かれている。それも二十カットほどしか残っていない。源氏物語が書かれた時代の源氏物語絵巻は伝わっていない。

源氏物語が物語として貴族の間で、とくに貴族の子女の間で広く読まれていたから、源氏物語絵巻があらわれたと考えられる。『更級日記』[*四五]（一〇五九？）に、菅原孝標女《すがわらのたかすえのむすめ》[*四六]が、「この源氏の物語、一の巻よりしてみな見せ給え」と祈り、「五十余巻《よまき》」全巻を叔母から「櫃《ひつ》」入りでもらって有頂天になる場面があり、「后《きさき》の位も何かはせむ」とまでいって読みふける。当時、「后」になることが貴族の女性が最も出世する、世に出ることであった。それを「何かはせむ」とまでいう、それほど源氏物語は読まれたということである。

ただし、源氏物語と源氏物語絵巻を同一視してはならない。いうまでもなく源氏物語絵巻の作者は紫式部ではない。描いたのは当時の絵師であろうが、紫式部が言葉によって描きイメージした物語の内容、空間と同じではない。絵には絵として成立すべき構成、構図がある。言葉をそのまま絵にすることはできないし、またそうしたとしても絵にならないからだ。

絵の一部は絵心のある貴族の女房が描いたという見方もある。和歌など文字を紙に描くことで、紙の上に空間をつくりだしていた貴族達が、紙の上に絵を描いていたと考えて不思議はない。

源氏物語絵巻の特徴は描写法の吹抜屋台（図7）、人物の顔の描写法の引目鉤鼻《ひきめかぎはな》（図7、9）だといわれる。前述のように吹抜屋台は天井、屋根を吹き払ってしまい、その上部から見下ろすことによって、当時の寝殿造の室礼によって構成される内部空間を最も的確に示すことのできる方法であった。平面図と立面図とが同時にあらわれてくる描画法であった。日本の内部空間が吹抜屋台という方法によって徹底的に見られていたのだ。内部空間をこれほどまでに見通す視線はこののち日本にはあらわれない。むしろ外観重視の視線によって隠され、消されてゆく。

前書『近代日本の建築空間』で、日本において「外観やファサードの保存が受け入れられやすい」ことを指摘したが、つけ加えるなら外観保存は「もの」を保存しているのである。空間ではない。建築は空間性があるからこそ建築なのであった。外観という「もの」を残すことでこと足れりとするのはますます外観重視に拍車をかける。そして近代の日本は内部空間を見る視点を失った時代といえる。平安時代の日本の貴族が見つけだした「吹抜屋台」という内部空間をも徹底して見る視点は、それだけにますます重視されるべきである。

また、引目鉤鼻という人物描写法は、源氏物語の登場人物一人一人の心理描写をあらわすのに優れた方法であった。登場人物は全て引目《ひきめ》と鉤鼻《かぎはな》という誰もが同じような顔つきを持つ。読者（鑑賞者）がその顔に読書時の感情を移入でき、それによって読者のイメージのなかに、登場人物が生き生きと自らをあらわすことのできる方法であった。これらは、平安時代の物語や和歌や漢詩の、言葉による、個性あふれる、また、感性あふれる表現方法とは別の、視覚による論理的な表現方法であった。そこは読者が感情移入し、つくりあげる世界でもあったのだ。読者の参加（involvement）が見込まれていた。

そして引目鉤鼻という顔の描き方は男が女に近づくとき、顔を知らないことが多かったという当時の状況を示しているともいえる。第三章で述べるが、男は自分が近づこうとする女を顔で選んでいるのではない。ほとんど女の顔は知られていない。顔への執着はない。そのことがこうした顔の描写法を生みだした一つの原因であろう。引目鉤鼻によって描かれた顔は誰でもが同じように見え、紫式部が源氏物語のなかで文字によって、一人一人を個性あふれる表現で描いた方法とは異なる。文字によって表現された一人一人の個性には顔への執着はない。

＊四五 『更級日記』は作者十三歳の折、京への東路の旅から筆を起こし、五十歳で夫と死別するまでの追憶が書かれている。

＊四六 菅原孝標女の姉に『蜻蛉日記』の作者で藤原兼家の妻となった右大将道綱母がいる。九五四年から二十一年間の悲しい結婚生活の日記である。兼家はときめく関白であり、奔放で、それゆえの苦悩の日々が綴られている。藤原道長は兼家の子ではあるが道綱の母の子ではない。時姫との間の子である。

(二) 源氏物語絵巻「夕霧」読解——雲居雁《くもいのかり》、その狂乱と抑制

源氏物語と源氏物語絵巻とは違うこと、差のあることを前節で記した。現存する絵巻では物語一つの帖（巻）に一枚、多くて三枚描かれている。限られた画面のなかに物語が凝縮される。たとえば、源氏物語絵巻「夕霧」のように、一つの帖を一枚の絵に凝縮して表現する。雲居雁が夫・夕霧と落葉宮《おちばのみや》の関係を嫉妬し、落葉宮の母からの文《ふみ》（夫への落葉宮からの恋文と思っている）を読む夕霧の背後から忍び寄り、文を奪おうとする場面である（図9）。

ふつうは、女が決してしない行為（文を奪う）に着眼して取り上げる。絵師が源氏物語からイメージし、選びだしたものである。『源氏物語』を読めば、文を奪うことは、しだいに雲居雁の嫉

図９　『源氏物語絵巻』「夕霧」（国宝・五島美術館所蔵）

妬心が高まってゆくきっかけである。むしろこの巻は、『源氏物語』では奪われた文を見つけたい夕霧の焦る気持ちのほうがよく表現されている。

しかし、絵巻のこの一枚の絵が、「夕霧」の巻を凝縮表現している能力は特記に値する。この絵一枚から、フロイトが一つの彫刻から「ミケランジェロのモーゼ像」＊四七という精緻な分析を行ったように、源氏物語「夕霧」の巻、一巻から様々な部分、要素が凝縮され取り込まれていることを分析できるに違いない。絵や彫刻は描かれた場面の前後の時間を濃縮する。

この「夕霧」の絵はどういう一瞬を描いているのか。雲居雁の両手、両腕はなぜ、ああまで露骨に見えているのか。源氏物語「夕霧」には、雲居雁が生絹《すずし》の単《ひとえ》を着ていることなど、どこにも書かれていない。絵師は、源氏物語の「夕霧」よりもっと以前にあらわれた「常夏《とこなつ》」のなかの描写に引きつけられているに違いない。「羅（うすもの）

の単（ひとえ）を着たまひて臥したまへるさま、……透きたまへる肌つきなど、いとうつくしげなる手つきして」と、筆者が傍点を振った部分が、そのまま絵にあらわれ、利用されている。これは雲居雁が真夏、「昼寝」をしているところに父である内大臣が訪れ、「品《しな》なきことなり」と小言をいっているところである。この情景を絵師が絵巻「夕霧」に利用する。物語「夕霧」は秋の頃の話である。季節が違う。雲居雁という個性を、時間を越えて集積することで、濃密な場面を一枚の絵に圧縮したのだ。絵師の力業といえる。

夏衣の生絹の単が、彼女の腕までを透かせて見せ、それを強調する。生絹を透かせて見える雲居雁の生身の腕は、夕霧が直衣《のうし》を着た服装をしているがため、対比的にいっそう生々しく鬼気迫ってくる。

右手は嫉妬に狂い、求める対象、夫・夕霧が思いを込めて読む文（夫への恋文と思っている）に否応もなく伸びてゆく。しかし、左手は自らの嫉妬心を必死で抑えるかのように、曲げられ自分の身体に引き寄せられる。その勢いが長い左手の人差し指の先にまで込められる。左手をも差し伸ばしたいのだ。さらに勢いが人差し指の先を異様に肥大させ伸長させる。それを必死で抑える雲居雁。左手は抑制をあらわすように、髪の「下《さ》がり端」を受けて、自分の身、身だしなみへの思いが、その動作にあらわれでている。

女の掌の異様に大きな場面は、「東屋（一）」などいくつかあるが、ここまで手、腕に意味が込められているのはこの「夕霧」を極点とする。

この姿には狂乱寸前の雲居雁の嫉妬と抑制という相反する二つの激しい情念が同時に込められ

ている。源氏物語絵巻「夕霧」の一瞬は、この物語の巻の様々なドラマ性の頂点を重ね合わせているのだ。つまり絵の一瞬は、源氏物語「夕霧」の巻の文学が描く極点とは微妙にずれ、抑と揚、すなわち抑制と嫉妬、両者の頂点が重ね合わされている。これを描いた絵師は紫式部の文学の重みに負けない優れた絵画的能力を持ち合わせていた。

そして、そこに寝殿造の母屋・庇・簀子構成をとらえ、源氏物語のイメージを落とし込んでいたことは絵巻に明瞭にあらわれている。二人のドラマは寝殿の奥深い中心部、母屋のなかで起こっているのである。

さらに驚かされるのは、こうした夕霧と雲居雁との間の状況を感知しようとしている女房達が描かれているということだ。母屋のなかの夕霧と雲居雁、それを取り巻く庇の間《ま》という空間から、女房達が「障子」（今の襖）に寄り添いその様子を観察している。つまり、寝殿造の中心的空間である母屋で起こっている狂乱の「劇」を、それを取り巻く庇という周辺空間（周縁空間）から垣間見、聞こうとする。まさに寝殿の内部が中心と周辺（周縁）という舞台装置のように扱われているのだ。そこに主役と脇役が配置される。この絵師は寝殿の空間構成である母屋・庇構成を徹底して利用したのだ。

女房達は、仕切りである「障子」に遮られ、見るのではなく聞くという姿勢である。文に読み耽る夕霧、その文に迫ろうとする雲居雁、そしてその状況を聞こうとする女房達。匂いもあるだろう、女房達は五感を感知装置にして自分の身の廻りの状況、奥の「障子」を隔てた現前に起こっている異常性を把握しようとしている。この源氏物語絵巻「夕霧」の図には、見ることと聞く

図10　『源氏物語絵巻』「宿木（一）」（国宝・徳川美術館所蔵）

こととの双方が定着されようとしている。「吹抜屋台」という図法が引き起こす、天井裏、屋根裏を取り外した「読者（鑑賞者）」の上方からの俯瞰する視線が否応もなく重ね合わされるからだ。

　源氏物語絵巻「宿木（一）」（図10）には、やはり二人の女房が帝と薫が碁を打つのをうかがっている姿が描かれている。ひとりは「夕霧」の絵巻と全く同じ姿勢で「障子」越しに聞き耳を立てているが、もう一人の女房は、その「障子」を細く開けて几帳越しに二人の男を垣間見、覗き見ている。ここでは聞くと見るとが画面に同時に描かれ、聞くことと見ることがそのままに表現されている。この「夕霧」と「宿木（一）」の二枚の絵を比較することで、「夕霧」の場面に、視覚的に覗き見る女房を描かないことの理由を理解できる。つまりそれだけ、「夕霧」の母屋内部で起こっている出来事の異常性を、読者は感取できるのである。目に見えなくても女房達には感取できるほど母屋内部は殺気立ち、粟立ち、緊張している、それを表現しようとしているのだ。

この二枚の絵巻物の絵が優れている理由の一つは、『源氏物語』にはほとんど描かれることのない、物語の進行状況を知ろうと目、耳、鼻という感知装置を研ぎすまして控えている女房達が描かれていることである。ドラマは二人の主人公の間だけで進んでいるのではなかった。残存する源氏物語絵巻のなかで、主人公だけで全体が描かれているのは「宿木（三）」（図14）の場面だけである。そこには匂宮《におうみや》と中の君の二人しかいない。

女房という目、耳、鼻が観察していたのである。『紫式部日記』を読んでみればよい、そこでは『源氏物語』の主人公達と立場が逆転し、紫式部という女房が彰子《しょうし》や藤原道長や女房達を克明に観察し、それを記録していた。『源氏物語絵巻』を描いた絵師は冷徹にその状況を読んでいたのだ。絵巻には物語の進行と共に、それを女房達が見、さらにそれら全体を見る読者の、絵師の視線が重ね描かれていた。そこには全体を見る視線があった。

しかも女房が一人ではなく二人描かれていることには意味がある。それは寝殿造の建物の内部では、主人が多くの女房達に囲まれ、観察されていたことを象徴している。起こっている主人公達のドラマ（あるいは日常性）は、女房達の五感に曝されていたのである。『源氏物語』にはそうした女房達の視線はあまり描かれることがない。それゆえ、『源氏物語絵巻』を見ると読者は観察することと観察されること、見ることと見られることに気づかされ、寝殿造の建物のなかで起こっている現象の濃密さに驚くのである。

絵巻のなかで、名を持つ主人公と無名の女房二人で描くことは、極限の人数で描く方法であった。人の数に意味が込められていたのである。女房二人によって女房集団が描かれていた。とくに「夕霧」には人の数も含めて極限状況が描かれていたのだ。

源氏物語では、母屋・庇・簀子構成という建築物に関わる基本的には三つに分かれた空間において、それぞれの場をいかに感知するかは、貴族（男・女）達の感覚、それを表現する方法に支えられていた。日常性（私生活）のなかで室礼することも、作法や有職故実《ゆうそくこじつ》に従ってのことではあったが、それは当時の貴族達の重要な表現であった。そのなかで生活や物語が進行していたのである。

絵巻「夕霧」においては、斜投影で描かれた建築空間の構成に対し、夕霧、雲居雁、女房二人、計四人すべての身体は建築空間の斜投影の角度と直交するように、全く逆の角度に傾くよう描かれている（図9）。この傾きの対立、交差は、建築空間という日常性に対し、人間が引き起こすこの物語の異常性、物語性の意図を的確に表現しているかに見える。絵巻「夕霧」のなかで、この四人の人物は空間に巻き込まれ、自らを空間に対峙させていたのである。

＊四七　拙書『「ペーパーバック読み」考』の「フロイトの方法」参照。

(5) 日本的パースペクティブ

源氏物語のなかにあらわれてくる空間性の描写において、前後に「仕切り」やものが重なって並んでパースペクティブを形成すること、「雲隠」の巻のように、本文が空白なことによって源氏の死を暗示し、時間のパースペクティブを表現することなどについては、すでに記した。

さらに、源氏物語が場所や空間性をよく表現している例として、「帚木《ははきぎ》」がある。巻名にも使われているが、光源氏と空蝉《うつせみ》との交流を描いているこの巻のなかにでてくる木は、遠くから見ると箒《ほうき》のように見えるが、近くに寄ると見えなくなってしまうという伝説の木の名前である。この巻はじつは、「雨夜の品《しな》定め」という現代の女性からすればけしからぬと思われるかもしれないが、男達が集まって女性に対する見方、「品定め」（ここでいう「品《しな》」とは身分のことである）、経験を披瀝しあう場面なのだが、巻名には「雨夜の品定め」とはついていない。

源氏物語は、巻名だけからでも様々にイメージが湧きあがるが、この巻に紫式部が「雨夜の品定め」ではなく、「空蝉」でもなく「帚木」と命名したところが秀逸である。紫式部の、見方としての独特なパースペクティブがよくでている。「空蝉」は次の巻名になっているが、この「帚木」の巻で源氏と空蝉は契ることになり、これ以後、「帚木」の巻でも、「空蝉」の巻でも空蝉は源氏と一切会おうとしない。空蝉は伊予の介という夫のいる身である。

このことからみると、空蝉は帚木と呼ばれてもしかるべきであった。実際、「関屋《せきや》」の巻では、彼女は紫式部によって「かの帚木」と呼ばれている。源氏物語では作者も読者（貴族）も自らのイメージのなかで女の名を、源氏物語の言葉のなかから選び、呼んでいたのである。ただし、空蝉は自らの嗅覚に助けられ、薄衣《うすごろも》を脱いで光源氏の手から逃げおおせた。そのイメージからすれば「空蝉」、つまり蝉のぬけがらという名がふさわしく読める。このように主人公を空蝉と呼ぶか帚木と呼ぶかは、読者が内容をイメージすることで自由に決められ、それが通用した。それが当時の読者（貴族達）の知であり、「教養」であったのだ。

　帚木とは、遠くからは見えるが近づくと見えなくなる木のことを指していることから、様々な喩え、隠喩が可能だが、結局は再び契ることも、会うこともない二人[*四八]の和歌のやりとりは、帚木という木の持つ遠・近が引き起こす、見えることと見えないこととの日本的なパースペクティブを含み込み、さらに男女の遠・近が重ね合わされ、源氏物語の空間性に独特の奥行きを与えている。

「帚木の心を知らでそのはらの　道にあやなくまどひぬるかな」（光源氏）
――近づけば消えるという帚木のようなつれないあなたの心も知らないで、園原への道に空しく
　迷ってしまったことです。
「数ならぬふせ屋におふる名の憂《う》さに　あるにもあらず消ゆる帚木」（空蝉）
――しがない貧しい家（地名の伏屋に掛ける）に生えているということが情けのうございますの
　で、いたたまれずに消えてしまう帚木なのです。（石田穣二、清水好子校注）

源氏が古今和歌集の坂上是則の歌「園原《そのはら》や伏屋《ふせや》に生《お》ふ帚木の　ありとは見えて逢はぬ君かな」をふまえて贈ったのに対し、空蝉もこの歌をふまえ自分の身分の低いことを伏屋に託し、逢わないことを帚木という言葉に託して答える。

身分が低いといっても光源氏に比べてのことで、空蝉は貴族の中流の出である。藤壺（源氏の継母）や葵の上（源氏の正室）といった高貴な出の女性たちとは異なるが、「雨夜の品定め」で左《ひだり》の馬《むま》の頭《かみ》の話から、中流（「中《なか》の品《しな》」）の女性の評価が高く、それに興味を覚えた源氏が出会った女性である。空蝉も次の夕顔もそうした女性であった。

この二つの歌において、帚木が言葉としてあらわれてくるとき、また巻名にもされることで、この巻に具体的空間性を伴った遠・近、あらわれ消える、というパースペクティブが生じる。場所、建物（伏屋）、男女の関係、身分、様々なものが隠喩として取り上げられ、掛け合わされる。こうした和歌における当時の貴族達の知性、「教養」には底知れないものがある。これらの知が物語に様々なパースペクティブと奥行きを与えている。この知に読者側（貴族達）の知もが巻き込まれて、源氏物語は時・空間に拡がるのである。

＊四八　源氏と空蝉は数年後、「関屋《せきや》」の巻において、逢坂の関で再会し歌を贈答しているが、空蝉は後に出家する。

(6) 寝殿造と夏

遣水や池を含め、寝殿造の形式が出来上がってきた理由の一つが、夏の暑さをしのぐためであったと考えられているが[*四九]、平安時代後期に書かれたといわれる『作庭記』[*五〇]にも「暑をさること泉にはしかす」（暑さを去るのに、泉にまさるものはない）とある。そうであるなら、暑いのは日本（京）の夏が蒸し暑かったことと共に、当時の貴族達の服装、室礼に原因の一つがあったように思う。

それは肌を直接見せることを極度に嫌ったためであろう。肌を見せることも、裸に近い姿になることもできなかった。夏でもできるだけ肌を見せず重ね着をしていたのである。夏に着る生絹《すずし》などは風を通すが、風がなければ見た目に涼しそうに映るだけである。透けている分、人前では上に重ね着をしなければならない。前にも触れたが源氏物語絵巻「夕霧」（図9）の生絹を透かして見える雲居雁の生身の腕は、源氏物語の二人の状況下ではふつうにはありえないがため、いっそう生々しい。

夏であっても、「仕切り」、室礼は重なっていて風を遮っている。「更衣《ころもがえ》」で冬とは違い、室礼の材料の布地や織り方や編み方が変わっても、視線を遮ることに冬も夏も変わりはない。すると風を遮り、奥まで風は届かない。姫君達は視線の通らない奥の母屋にいるのである。男の視線のくる方向と風のくる方向は重なっている。それゆえ、「仕切り」は外からの視線を遮る方向、風を遮る方向に使われ、その上で風の通る工夫がなされたであろう。いずれにしても室礼は四季を通してあり風は室内を通りにくいのである。

当時の貴族達の室礼や服装の形式自体が夏向きにはできていない。そのなかで工夫をし、そこに日本独特の文化、生活形式が形づくられていった。室礼で遮られてはいても、夏の「更衣」によって変わった室礼の材料、布地や織り方、編み方を透かし、通ってくる微妙な風の動き、涼しげな室礼の見えがかりを感じとる感性を磨いていたのだ。

たとえば、裸に近い姿になることができれば、暑さをしのぐ方法は別にあったはずだ。水に浸した布で汗を拭い、身体を拭けばよい。扇も素肌に風をよこす。そうした生活様式を日本の貴族達は採らなかったのだ。そして重要なのはそのときから、寝殿造という日本の住居形式の基本が形成されたことである。

夏の風に関していえば、寝殿造から変化してきた書院造は、この室礼を床《とこ》（の間《ま》）のなかに簡略化し閉じこめ、室に室礼を置かないことで風が通り抜ける新たな室形式を獲得した。そこでは実質的な涼も獲得したのである。武士階級という実利的、実務的な層が時代を支配することで、建物にもそうした傾向があらわれたのであろう。

＊四九　たとえば、太田静六『寝殿造の研究』
＊五〇　森　蘊『作庭記の世界』日本放送出版協会　一九八六年

(7) 平等院鳳凰《ほうおう》堂

(イ) 鳳凰堂の空間構成

これまで寝殿造について記してきたが、源氏物語の成立より少し遅れた同じ平安盛期の建築で、庭が寝殿造のものを想起させ、しかも現存する建物がある。平等院鳳凰堂である。

平等院は藤原頼道が宇治につくっていた別業《べつぎょう》（別荘）を寺とした（一〇五二）ものである。当時（平安盛期）、浄土教が流行し、阿弥陀堂が貴族達によって盛んに建てられていた。道長・頼通父子二代にわたって（三十八年間）建立された法成寺《ほうじょうじ》（二町四方）[*五一]はその阿弥陀堂を中心とした代表的な大寺であるが焼失して今はない。平等院鳳凰堂はこの阿弥陀堂の現存する代表的なものである。

平等院鳳凰堂（一〇五三）の建物全体は、堂（中堂《ちゅうどう》）と翼（翼廊《よくろう》、尾廊《びろう》）と棟分けされながら構成されている（図11）。構造的にはつながっていない。棟一つ一つが全体を形成してゆくのである。和歌における文字の五・七・五・七・七の、五と七の関係のようでもある。

「翼廊」の翼は切り離された「翼《つばさ》」であった。切り離されたものが形をつくり、建築空間の連続性をイメージづけていた。それが建物の全体であった。一つ一つの棟を並べてゆくことで全体を構成しているのである。寝殿造の各建物（殿、廊など）も同じ構成法で成立している。書院造と

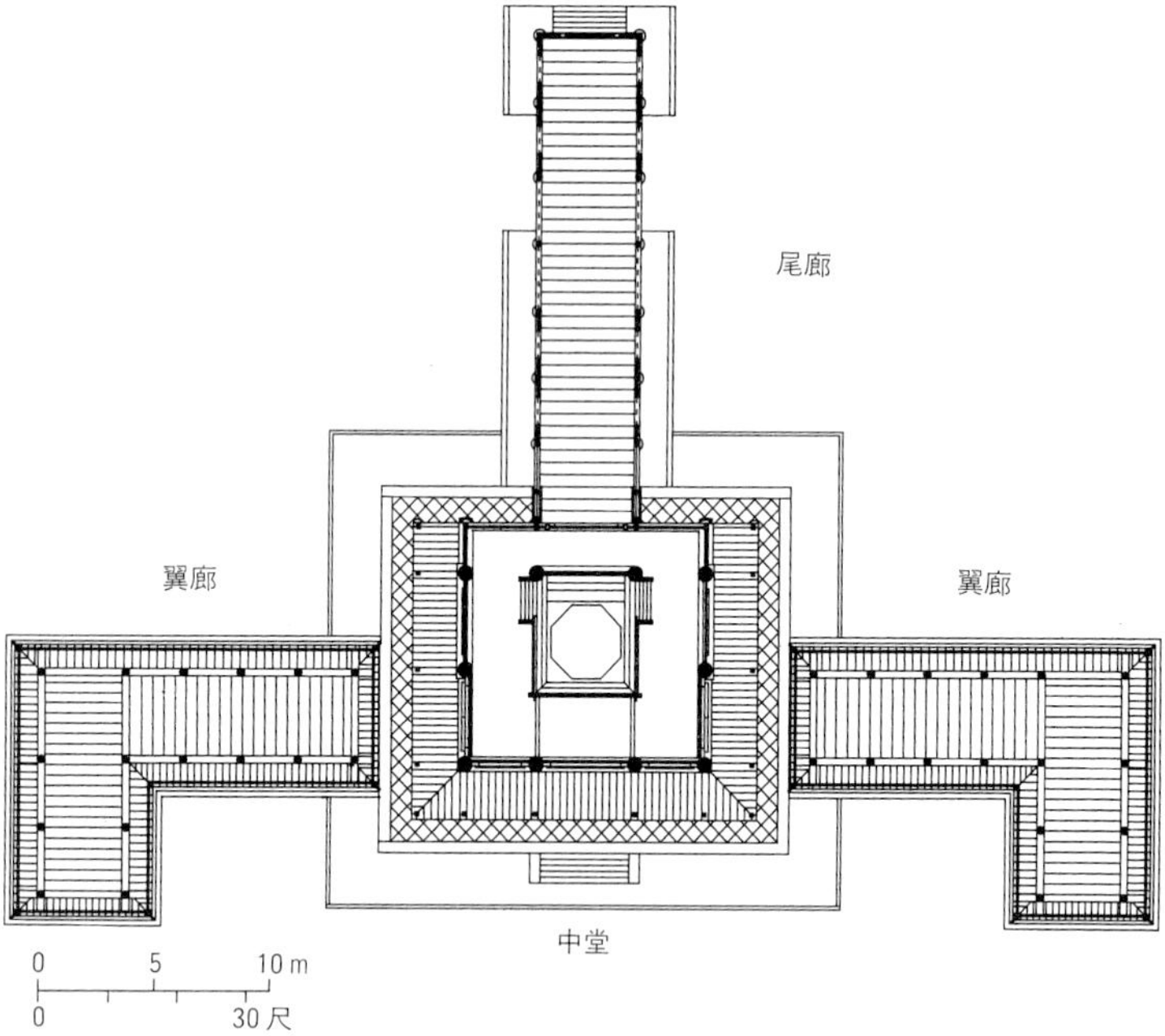

図11　平等院鳳凰堂

は全く異なった全体の構成法なのである。

フランク・ロイド・ライトが一八九三年のシカゴ博で見たのは、平等院鳳凰堂をまねた「鳳凰殿」で、写真で見る限り、鳳凰堂のこの構造的特性を備えている。そうであるなら、彼が見たのは形としての翼である。鳳凰堂が持つ、一つ一つの堂、翼廊が全体を構成してゆく構造的要素をライトは見ていない。しかしライトは鳳凰堂が呼び起こす翼という形態的特徴をとらえる。「鳳凰殿」に鳳凰という鳥の直喩を見てとったのである。

ライトの帝国ホテルは切り離されていない翼によって成立する。まさに鳥の翼であった。切り離せば落ちてしまう、飛ぶこともできない、それでは鳥でなくなる。切り離せないことで機能していたのである。そうした意味ではライトは近代人であった。

平等院鳳凰堂は全く違った構成で形がつくられていたのである。

中国から日本に伝わってきた、「比翼の鳥」という伝説上の鳥がある。岡山にある吉備津《きびつ》神社の屋根の形を、比翼入母屋造という。「比翼の鳥」とは長恨歌《ちょうごんか》（白楽天）にある玄宗と楊貴妃（源氏物語では桐壺帝と桐壺更衣）が、生まれ変わるならそうありたいと誓い合った、雌雄一目一翼で二羽一体、飛ぶときはいつも二羽一体となって飛ぶ鳥をいう。そうした眼で吉備津神社を見ると二羽の鳥が一体となっている姿をここから読みとろうとしても仲々結びつかない。むしろ一羽（体）の鳥が二羽（体）に見せようとしているかに見える。この二羽（体）に見せようとしている二つの千鳥破風をもつ本殿は一体構造である。

平等院鳳凰堂をこうした眼で見ると、堂、廊といったバラバラな建物をいかに視覚的に構成してゆくかが意図されている。構造的には建物群であり、それぞれの棟がアーティキュレイト（分節化）していながらそれを視覚的につなげて一つの建物とする方法であった。「比翼の鳥」が飛んでいるとき、雌・雄がアーティキュレイトしているかどうかは想像するしかないが、見方によっては似ているように見える。

つまり鳳凰堂は、バラバラな建物が集まって一羽の鳥を形成する。それ以外の建築的機能は捨てられる。翼廊は腰に貫《ぬき》が廻っている。そこは土間であり吹放ちであるのに、腰貫《こしぬき》に遮られ、まともに内外を歩くことができない。ここは土間であっても回廊ではなく、翼廊なのだ。形を構成するための廊なのである。

その腰貫は足元を軽快に見せる役割を果たしている。次項で述べるように二階の高さのプロポーションに合わせて一階の高さのプロポーションを縮め全体のプロポーションを整合させている。そこに高床という床がないのは鳥という形態の飛び立てる軽快さの表現であろう。この時代には珍しい飛貫《ひぬき》も内法貫の位置に飛んでいる。外観、足元のプロポーションに合わせてのものである。

そしてこの腰貫と内法貫（飛貫）が飛んで囲う一階の虚の空間は、観察者に見るたびごとに、そこに内部空間があるのかないのか確かめさせずにおかない。

建物は平面も形も、鳳凰[*五二]という想像上の瑞鳥《ずいちょう》（めでたい鳥）が、水辺に舞い降りる瞬間を固定すべく、細部が工夫され、浮き立つように置かれている。長恨歌や源氏物語において、「比翼の鳥」からは男女の関係が暗喩される。同じ想像上の鳥であっても、鳳凰堂は直喩である。

楼閣（隅楼《すみろう》）を角にL字形（かね折り）に折れ曲がった翼廊、尾廊の存在は、鳥という形態にイメージを重ねながら建築空間として全体の奥行きのパースペクティブを強調する見事な方法であった。

この建物は平面も立面も左右対称であり、阿弥陀堂という阿弥陀仏崇拝の機能のために正面性や中心性、集中性[*五三]が強くあらわれている。母屋を取り巻く裳階《もこし》の正面では、一スパン、屋根が切り上がって、中心軸線の廻りに阿弥陀仏が礼拝できる工夫がなされている。

＊五一　道長の自邸・京極殿の東向かいである。平安京外だが、東京極大路を挟んで接していることになる。桓武天皇は、宗教勢力の強大化を恐れ、平安京に寺は東寺、西寺以外は置かなかった。そこに接して道長は寺を置いたのである。賀茂川の西岸でもある。

＊五二　鳳凰堂と呼ばれるのは近世からであるといわれているが、建立当初から、その造形意図は、鳳凰ではな

いとしても鳥がイメージされていたと考えられる。

＊五三　拙書『日本の建築空間』の「奥と中心性」の節、参照。

(ロ)　拡大された鳳凰堂

鳳凰堂の翼廊は二階建であり、一部、隅楼は三階建である。[＊五四]つまり各階に床がある。床があるから人が歩けるかというとそうではない。二階にしろ、三階にしろ、日本の重層建築では珍しく床があるのに天井高さが低すぎて内部を人間が立って歩けない。内部から見れば開口部は足元の高さである。翼廊を二階建に見せているのも一階の腰貫、飛貫と同じように外観のプロポーションを美しく見せるため、鳥の飛ぶという浮き立つ姿勢をイメージしての造形的な操作である。翼廊の一階の柱が土間に建っているのは大地に舞い降りた鳥の足の直喩である。その足によって翼廊の翼の形を軽く浮き上がらせる。つまり平等院鳳凰堂は外観のプロポーション及び直喩としての鳥の形態を得るために徹底的に工夫された建物なのである。五重塔をはじめとして日本の重層建築には内部の二重[＊五五]以上に床がなく、上部にあがることもない。内部空間は一重のみであり、重層化されている理由は外観にあった。[＊五六]

鳳凰堂の場合、中堂は阿弥陀仏を入れるため内部空間が造形化されているが、全体として内部より外観に圧倒的に注意が払われていた。ここで問題なのは、同じ外観が重視された建物であるのに、五重塔や三重塔に床がなく、なぜ鳳凰堂に床があるのかということである。[＊五七]

それは中堂の内部空間に入った「丈六」という大きな阿弥陀仏（定《じょう》朝《ちょう》作）のスケールに合わせて全体の外観を視覚的に拡大するためではなかったか。この建物は外観の鳥の直喩からもわかるように視覚こそが問題にされていた。翼廊の二階は、実寸スケールでは人間の背丈では入れないが、それを人間が入れるスケールと見たとき、その瞬間、縮尺が拡大し、この鳳凰堂の建物の外観は巨大な鳥となる。人間が二階を歩けるというのであれば床が必要である。一階は吹放ちに抜けていて壁がなく、様々な視線がたやすく通ってゆく。床がなければまがい物に見える。床がつくられた理由である。

ただし、その床は一階の天井を兼ねているという非常に率直な表現である。鳳凰堂は中堂の天井裏を除けば全体にわたって構造が露出しており、この時代には珍しい構造表現的な建物である。また二階の床面高さが高欄の床面と一致しており、そのことは外観に二階の床レベルをストレートに見せ、その水平線を強調している。[*五八] 鹿苑寺金閣以前にこうした床レベルが強調された建物があったのだ。金閣では三層すべてが使われ、三層ともに床レベルの水平線が強調されている。[*五九] しかし鹿苑寺金閣と平等院鳳凰堂の決定的な違いは、金閣は三層すべてが機能的に使われており、鳳凰堂は翼廊に限れば内部は全く使われておらず、外観を構成する建物であるということだ。外観における二階の床レベルの強調はそこに床があることの実在感を示そうとしたためである。そこでは床は使われることではなく一階は土間で柱だけが建つことに、二階は床が張られた実在感に意味があったのだ。内部機能がなく、それでいて構造合理性を露出していることにこの建物の建築的特徴がある。

二階床レベルが強調されることで、使われない内部床ではあるが、見えがかりとして外観を形づくることが目的（それが機能）であったこの建物に、内部床の存在を露出させ、そこに内・外を通した透明性が見られる。

この鳳凰堂を含め、日本の楼閣建築には外観に床レベルを露出させた透明感のある建物が多い。鹿苑寺金閣ばかりではない。慈照寺銀閣（一四九六）も東福寺三門（一四〇五）もともに二階の床レベルが高欄の床レベルと合っていて内部空間の存在を啓示している。日本建築には空間性においてて不透明な空間ばかりがあったわけではない。ただし日本の代表的な建築の一つといわれる近世の城郭建築は多層建築（多重床）であるが、その戦いや支配という機能のため内部空間は美しい外観の下に隠蔽される。

このように見てくると神社建築を除けば、平等院鳳凰堂はこうした外観に透明性のあらわれた初期の例として重要である。

「丈六」の話に戻れば、阿弥陀仏は背の高い仏像として通念化されていたろう。「丈六」とは仏像が立った高さで丈六なのであって、この座像（結跏趺坐《けっかふざ》）はその半分強の高さである。つまりイメージとしての大きさがあった。イメージからすればその大きな仏像を入れる建物自体も大きく見えなければならない。この建物の「設計者」は当時の阿弥陀信仰の熱にのって、人々（参拝者、観察者）の意識を操作したのだ。

同じ阿弥陀堂である東大寺の重源《ちょうげん》による浄土寺浄土堂（一一九四）は、次の鎌倉時代の大仏様《だいぶつよう》であるが、なかの阿弥陀三尊は立像で、浄土堂の内部空間の高さいっぱいに立っている。中心の阿弥陀如来は実寸丈六の立像である。ここには「丈六」といった立・座のイメージによる操作はない。この建物の中心存在たる阿弥陀仏が立像であることに浄土堂の率直さがあらわれている。構造もそのままに露出し内部空間を形成した、まさに構造表現的な建物である。[*六〇]スケールも構造も、内部も外部もすべてがそのままにあらわれた、日本建築には珍しく、驚くほど透明な空間である。

鳳凰堂は実寸でゆけばミニチュアであったのではないだろうか。当時の貴族達が日常住み慣れていた「如法一町家」のスケール、その中に建つ、東西に対《たい》をもつ寝殿造の建物と比べても実寸は小さかった。しかし観察者のイメージからは実寸の倍以上にも見えたのではなかろうか。庭、池、植物、石にも建物のスケールに合わせた錯視が利用され、観察者の意識を巻き込んだミニチュア化がなされていたのではなかろうか。そこで鳳凰堂は視覚的に巨大な鳥として水辺に今、舞い降りたかのように観察者には見えたのである。そこが浄土であった。鳳凰堂の水辺を含む周辺空間は、阿弥陀信仰という人々の信仰心を吸い上げて出来上がった空間であった。

*五四　中川武編『日本建築みどころ事典』東京堂出版　一九九〇年
*五五　床がないと階とはいわず「重」という。それゆえ五重塔、三重塔と呼ぶ。
*五六　拙書『日本の建築空間』参照。
*五七　ただし、一階の組入天井がそのまま二階の床を形成している断面となっている。
*五八　ただし、隅楼《すみろう》の三階と高欄の床はレベルがずれている。ここには床下からの見上げの視線が通らないからだ。

＊五九　拙書『近代日本の建築空間』の「鹿苑寺金閣とバルセロナ・パヴィリオン」と「闇への光」参照。
＊六〇　拙書『日本の建築空間』の「日本の内部空間への契機」参照。

第二章　庭

(1) 寝殿造の庭

(イ) 抽象化された四季

日本建築の各建物は、軒を持ち外部と接している。そこに庭という空間、場がある。軒、簀子、庇は庭に面し（図5）、空間を連続させていた。

寝殿造から庭は切り離すことができない。そこで人は自然を、四季を、気候を敏感に感じとることができた。儀式、行事の場でもあった。庭や池は儀式のなかで使われた。つまり儀式のなかに自然が取り込まれ、寝殿造はそのための装置でもあった。しばしば建物以上に庭が重視され（たとえば、建物の位置は、とくに地形や水が手に入る位置から決められたりする）、愛《め》でられ、そこから文化が生まれた。

四季といっても尋常のものではない。源氏物語の「六条京極のわたり」にある光源氏の住んでいた寝殿造の屋敷は、光源氏によって「四町《よまち》を占めて造らせたまう」六条院で、そのなかに各一町四方（約120×120m）ごとに四季のそれぞれを愛ずる女君達にふさわしい庭、家がつくられ、住まわされたものである。これら約百二十メートル四方*一のなかに、春の町には源氏と紫の上が、秋の町には秋好中宮《あきこのむ》、夏の町には花散里《はなちるさと》、冬の町には明石の上と、それぞれ各季節を愛ずる女性が源氏によって住まわされていた。

そこには男や女達の季節や行事によった動きがある。たとえば、六条院で行われた正月十四日の「男踏歌《おとこどうか》」のとき、この春夏秋冬「四町」の各「町」の女君達が、それぞれに、南の「町」（紫の上の春の町）に渡廊をわたってやってきて見物する情景は、都市的な光景が一つの屋敷のなかに展開しているさまを見るようである。それは街のなかの祭りに似ている。

六条院は文学のなかでの話だが、実際にもこの四町の大きさの寝殿造は平安京にかなりあった。高陽院《かやのいん》、冷泉院、宇多院、穀倉院、四条後院、淳和院、河原院である。このうち、皇室、朝廷関係でないものは藤原頼通が創建した高陽院だけである。平安京内には二つしかなかった寺、東寺、西寺の敷地もこの四町の大きさである。

和歌、連歌、漢詩の会も寝殿造の庭に面した部分で行われていた。[*二] 日本には古代から自然や四季を詠った詩が多い。そして「如法一町家」、基本一町四方の空間内は、建物と庭が、塀（築地塀）や垣に囲まれ、中に取り込まれて、含まれ・断たれ、離れ・離れず、遠・近することで繊細微妙な空間をかたちづくっていった。これらは築地塀によって一つの囲われた空間を形成していった。こうした塀、垣、は一枚一枚、奥行きを増してゆく。

そうした庭の空間の形成には、〈軒内包領域〉、〈軒内包空間〉（これは図5にあるように人間の目の高さが建物の軒裏線の延長に入り込む所から建物までの範囲、空間を指す[*三]）が影響を与えずにはおかない。含まれ・断たれ、離れ・離れず、遠・近する、その方法の一つがこうした観察者の視線と関わった見方なのだ。庭こそ、建物の表や裏、横に〈軒内包領域〉、〈軒内包空間〉を現象させ、それへと誘なう場であり、そこを観察者がアプローチしてゆく場なのである。

また、寝殿造には渡廊、二棟廊など廊が走ることによって「坪」（壺）といわれる小さな庭ができた。これらの庭は、人のアプローチなど考えておらず、光と空気とただ自然を見て愛でる空間であった。ここも軒、軒裏に強く影響を受ける空間であり、そのほとんどが〈軒内包空間〉に入るといってもよい。この小さな箱庭のような「坪」に、日本人の「美」のエネルギーが、信じられないほどの密度で埋め込まれていく。これらの庭はもう自然ではなく、抽象化された四季なのだ。

壺といわれる中庭はまさに内向きの庭であって、源氏物語にも桐壺、藤壺などこうした内向きの中庭から建物の名がつけられ、そこに住むことによって女性達が後に名づけられる。そこは一本の桐が、また一本の藤が植えられた抽象化された自然の庭なのだ。そのほかにはあったとしても草花がわずかばかりといってよい。南庭など儀式が行われるところとは違った、日常性あるいは私的な物語が生まれる場である。いかにこの囲われた庭（壺）に特性が込められていたか、そうつくられていたかが推し量れる。

＊一　挟まれた路幅を含むことになるからその分は拡がる。
＊二　太田博太郎『書院造』東京大学出版会　一九六六年
＊三　詳しくは拙書『日本の建築空間』の「屋根と軒裏」、「庇内包空間・庇内包領域」を参照。

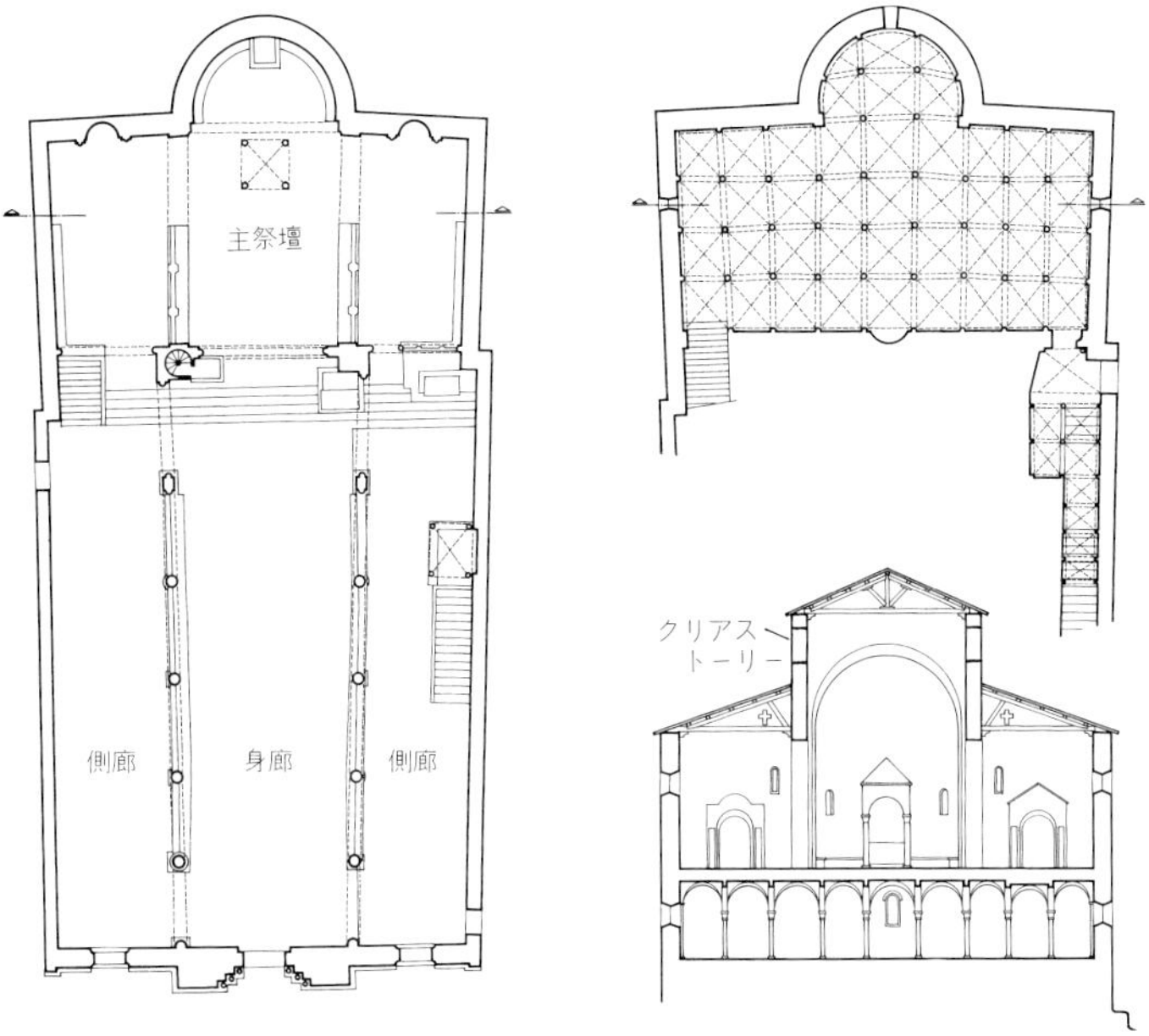

図12　バシリカ式の構成（11世紀・イタリア）

(ロ) 横からの光

庭には光が入る。庭というオープンスペースから入った光は、第一章(2)の「母屋・庇・簀子構成」のところで、「仕切り」を開閉することは光と闇の空間の回路を開閉することだと記したように、簀子→庇→母屋へと仕切りを通って入り、届いてゆく。その光はすべて横からの光である。

ヨーロッパの教会建築（バシリカ、教会堂、ゴシック）では身廊に直接、光を入れる断面形を持っている（図12）。身廊が高く側廊が低いのでその差を利用してクリアストーリー採光（clerestory lighting）をとる。外観からも身廊・側廊構成がアーティキュレイト（分節化）しているのを目にすることができる。身廊は建築構造上（断面形上）、あえていえば、日本建築（寺院建築、寝殿、対など）で母屋にあたり、側廊が庇にあたるが、日本建築にはこのクリアストーリーという、母屋に直接、光を入れる構法が取られていない（図13①）し、外観から見ても母屋・庇構成はアーティキュレイトしていない。

たとえば、法隆寺の玉虫厨子の屋根を形成している錣葺《しころぶき》も母屋の切妻屋根の軒下に直に接して庇の屋根が入り込み、光を入れる可能性が起こるクリアストーリー的な立上り部分がない。また法隆寺金堂の二重平面が一階母屋平面と重なっており、そこから一階母屋に光を入れ、クリアストーリー的に扱うことも可能であるがそうしてはいない。一階には天井が張られ、二重目は閉鎖した闇の空間となっている。母屋へは、庇に四周を囲まれる場合には、すべて庇を通過した光しか入ってこない。この横からの光だけで上部からの光はない。住宅である寝殿造には母屋まで直接、光を入れる必要はないが、場合によって庭からの光が庇を透過して、あるいは様々に跳ね返って庇を通過して母屋まで届く。

中心性の強い寺院建築でも中心部分に直接、光を入れることをしない。しかし時代は異なるが、天平時代の唐招提寺金堂（図13②）は正面一間の庇をすべて吹放ち（ピロティ）にし、直接、母屋に外気を触れさせることで光をも取り込んでいる。これも横からの光である。日本建築では外部からは内部を構成する母屋・庇構成は見えないのがふつうだが、唐招提寺金堂の空間構成はそれを見せようとしている。これを仕切り、後退させ、横から光を引き込み横からの外部→内部への視線によって成立させている。こうしたところがこの建築の非常に意図的で優れているところであり、透明性がある。

平安時代の平等院鳳凰堂・中堂も母屋を囲う背面の庇を除いた三面の庇が吹きさらし（吹放ち）

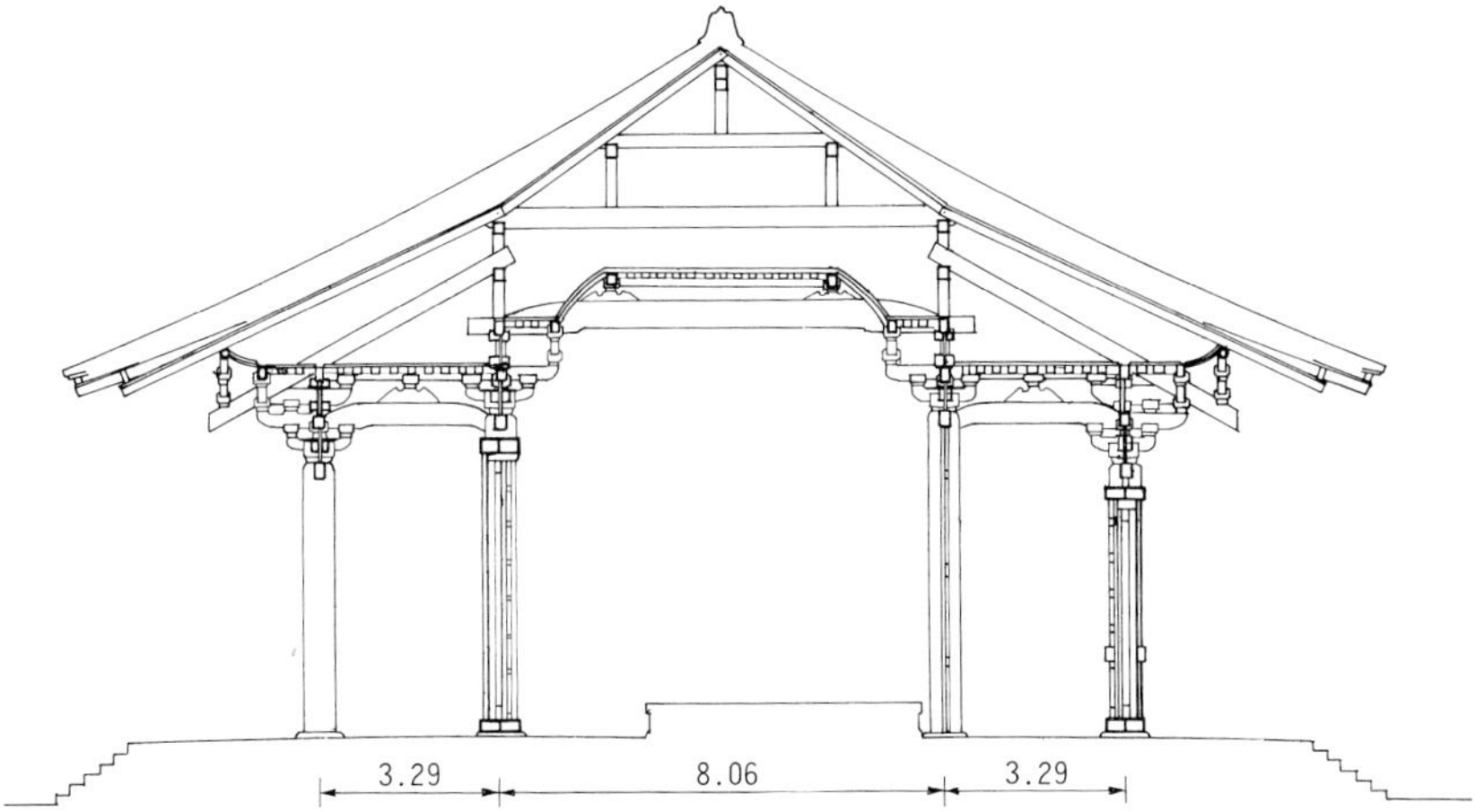

図13① 唐招提寺金堂（復元梁行断面図）

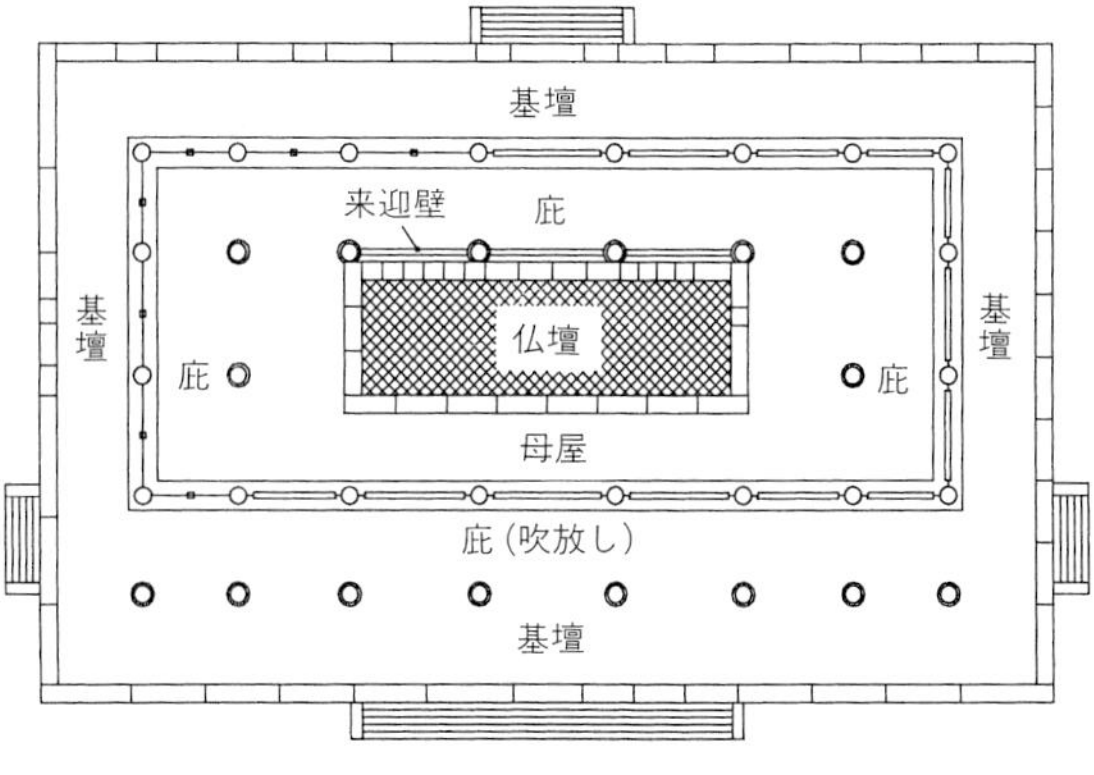

図13② 唐招提寺金堂（平面図）

となっている（図11）。母屋つまり本尊である阿弥陀仏のある場に観察者の意識が集中されるよう、正面裳階の屋根を一スパン切り上げたり、裳階を吹放ち（ピロティ）とすることで、母屋が視線や光、空気に向かって露出し、正面の礼拝軸の廻りに沿って本尊が拝める構成となっている。そうした意味で阿弥陀堂という特性を表現した、これもまた、この時代には珍しく透明感のある建物である[*四]。

横からの光こそ日本の建築の内部空間、外観を特徴づける基本的な要素である。西欧の教会建築に見られる、上からの光を巧みに扱った空間とは異質な空間なのである。

また、光は池や遣水《やりみず》、時には白砂、雪に反射し、軒裏を照らし、そこで再び反射され室内に入ってくる。床はそれを、また跳ね返す。日本の建築、空間では、光は何かにぶつかり何度も飛び跳ねる。跳ね返った光が室内空間を照らし、観察者がそれを見る。また、光の跳ねているどの場で、またどの高さで光を観察者の眼がひろうかは重要である。水面の動く、きらきら反射する光、直接、眼には入《い》れなくても暗い室内に明滅、動き回る光は人々を、特に母屋にこもりがちな女性を楽しませたに違いない。日本建築は母屋に直接、光を入れる断面形を持っていない。ただし跳ね返った光が奥まで届く場合があった。

たとえば、庭の雪は光を反射する鏡の作用をも果たす。故に雪は室内を照らす光としても扱われる。詳しくは後述するが、末摘花の巻には、庭の雪に反射した横からの光によって、寝殿の奥の暗闇から「端」に近づき、浮かび上がってくる末摘花の顔が見事に描かれている。

「端」の意味が建物の内部でも外部に近いほうであるということは、「端」に近づけば近づくほど光に近づき、曝され、光によって物の姿が露わにされてくる場としてとらえられている。そこでは人（女）の姿、顔もあからさまに、輪郭もはっきりと見えてしまう。

しかし、母屋は建物において直接、光が入る断面形をしていない。光は横から庇をへて母屋に到達する。庇や母屋の空間に仕切り、室礼が重なっている寝殿造では、横からの光は、奥に行けば行くほど遮られ、暗くなり、それは物や人の姿・形が曖昧となってゆくことを意味している。日本建築を特徴づける横からの光を扱うことにこそ、母屋・庇・簀子構成や仕切り、室礼によって成立する寝殿造の内部空間を生かす方法がひめられていたのだ。室礼、調度は視線を遮っていただけではなかった。それらは光を遮り、その陰にあるものの輪郭を曖昧にし、おぼろげにしていたのである。

「奥」や「端」などの言葉の使われ方を読んでゆくとき、この横からの光をとらえる必要がある。場所だけではなく、光や空気の動き（たとえば風、これも横からの風である）までを含めて空間的に見てゆかなければならない。光も空気も基本的には横に通ってゆくのである。

風と建築を描いたものとしてすぐに思い浮かぶのはシンケルやレオン・クリエのドローイングに描かれたものであろうが、日本にはすでに十二世紀において『源氏物語絵巻』の「宿木（三）」（図14）に、秋風にそよぐ簾に仕切られた寝殿造の簀子・庇構成の空間が描かれている。吹き抜ける秋風に二人きりで描かれた匂宮《におうみや》と中《なか》の君の揺らぐ関係すらが暗喩されている。庭の萩と女郎花《おみなえし》も風にそよぎ、その場の不安定な状況を暗示している。

横からの光によって特徴づけられる日本の建築空間に違犯を試みたのは茶室空間である。「茶」

図14　『源氏物語絵巻』「宿木（三）」（国宝・徳川美術館所蔵）

(tea ceremony）は、茶室という中心空間に壁の上・下や天井から光を、多くは紙を介してはいるが、直接入《い》れることで成立している。そこでは横からの光だけに頼っているのではない。様々な高さから絞られた光が入ってくる。ここで内部空間が激しく変わったのだ。

　ゴシック建築の内部空間は上方へ高く高くたち上がってゆき、その上方から外光が降りそそいでくる空間であった。しかも光を身廊など中心部に入れようとする。それゆえ、中心と光が結びつく。光は中心を照らそうとする。日本建築では光は横から入り、庇→母屋と通過し、様々な「仕切り」に阻まれ、中心へはなかなか届かない。それゆえ、闇が問題とされる。

　母屋が庭と直接、接しないことが母屋の奥性、中心性を高めた。母屋からは庇を通してしか庭を見ることができない（図5）。母屋と庭との間に庇という空間が差しはさまれ距離がおかれてい

る。外部に対して母屋が奥まって扱われているということである。

　ところが時代が下がって、武家の時代の書院造（たとえば、園城寺勧学院客殿、園城寺光浄院客殿など）では接客空間である上段や上座の間から広縁[*五]を通して庭や能舞台を直接のぞむことができた。母屋・庇構成をとらなくなったのだ。しかしそれも権力者の家になればなるほど、たとえば、二条城二の丸御殿に見られるように上段の間（一の間）と庭との間に二の間が差しはさまれ、さらに庭に沿って矩《かね》折りに曲がって三の間と序列的に室空間が配置され、寝殿造とは異なった奥行きづくりが構成される。江戸城本丸はこうした形式の集積で成り立ち、表、中奥、大奥と奥が形成されたのである。

　外光の入る建物の周縁部分に接客空間が序列づけられ配置されてゆくことになる。寝殿造では家は女が継いだが、武家社会では男が継いだ。寝殿造の建築空間が日常においては母屋を中心とした女の空間であったのに対し、書院造以後の建築空間は接客空間を中心とした、当時の身分社会における武士の序列空間、男の空間であった。ここでも光は横から入ることに変わりはない。寝殿造から書院造への変化においても変わらない要素があった。

　日本では近代建築が入ってくることによって、横からの光という日本建築の特性が激変することになる。茶室という光を自由に扱う空間もあったが、それはほとんど「茶」という限定された世界のなかだけで成立していた。ヨーロッパでは上からの光があったからこそ近代建築が現れても光はどこからも入ることが前提とされ扱われていたが、日本では明治以降、洋建築を取り入れることで日本建築が忘れ去られ、[*六]さらに近代建築によって建築の中に一気に光が全方向から入り込み、そこで形をつくることが起こる。それまでの日本建築の特性である横からの光との落差を明確に意識しなかったことによって日本の近代建築は光の扱いを曖昧にすることになる。

＊四　翼廊の二階床レベル強調の透明性については第一章の「拡大された鳳凰堂」の節、参照。また日本建築の内部空間が一般的に不透明であったことは、拙書『近代日本の建築空間』の「日本建築に隠された闇の空間」を参照。

＊五　書院造では広縁を通して光が入ってくることになるが、広縁は庇と違い室礼を置かない。空間が異なっているのだ。

＊六　このことについては拙書『近代日本の建築空間』を参照。

(八)　庭への視線

平安時代の歴史物語といわれる『大鏡』に、清涼殿の前の庭の梅の木が枯れたので村上天皇(在位九四六〜九六七)が眼の確かな者に、それに代わる木を京中探させる記述がある。否応もいわせず他人の家から取ってきてしまうのだが、それが紀貫之の娘の家の梅の木と知って恥じいるのである。つまり、庭に植える梅の木一本に、時の天皇が京中を探させるほど手間と力と人の眼をかける。庭は極めて重視されていた、つまり貴族達に見られていたのである。
『年中行事絵巻』（図8）のなかから、人物をすべてとりのぞいて寝殿造の庭を見ると、いかに樹木が少ないかがわかる。それは竜安寺石庭の石のように少なく限られて配されている。つまりそれらの樹は、竜安寺石庭の石のように抽象化され配された自然なのである。しかし、そこで使われている材料は自然から持ってこられた樹であり、土であり、石であり、砂であり、水である。庭とはそうした自然を使った抽象なのだ。

源氏物語の「鈴虫」に、こうした寝殿造の庭を秋のある日、一時的に「おしなべて野に作らせたまへり」（全体に野原のようにおつくらせになった）とあり、そこに鈴虫を放して「鈴虫の宴」をひらくのだが、このことは逆に、普段の寝殿造の庭は、自然、つまり「野」ではなく、抽象化された庭であったことを意味している。

もっと抽象化された庭に、厳島神社の海という庭をあげられるかもしれない。人が手を加えようにも加えようがない水という抽象、否、海という抽象、海という自然でありながら建物に囲い込まれたとき自然でなくなるという抽象、これも建築空間を配することによってつくりあげた、人間が庭において成し遂げた究極的ともいえるわざなのである。

いわゆる「秋の七草」なども、『万葉集』の頃から日本の秋という季節を代表するものだが、それを選びとって愛でたのも、多くの花から秋を選ぶ抽象化の一つの形である。

萩が花尾花葛花なでしこの花女郎花《をみなへし》また藤袴《ふじばかま》朝がほの花*七（山上憶良）

　ここで詠まれているのは自然そのものではない、抽象化された四季の一つとしての秋なのである。

　寝殿造の庭、また寝殿造全体が、季節という時間を空間に取り込んだ造形（ものづくり）であった。庭ばかりでなく建物内部の室礼など、「更衣《ころもがえ》」も季節を取り込んだ行事である。

　分野は違うが、後の時代の俳句の季語も、季節を抽象化して句のなかに入れることによって、古代の寝殿造という庭を含めた造形行為のように、季節という時間、空間を取り込んだものである。たとえば江戸時代の季語に見る「蛙」、この季語の季節は春であるが、我々が蛙を見ることができるのは春だけではない。それは季節そのものの抽象化なのである。俳句は季節を抽象化して、短い言葉（季語）のなかでつくられる。俳句が十七文字と短いからこそ季節が季語に抽象化されたのだろう。季節が抽象化されると、たった一つの季語から季節が十七文字のなかに押し寄せる。

　寝殿造は古代の寺院の伽藍配置と一見似たところがある。南大門・築地塀に囲まれ、そのなかに、さらに中門・回廊によって囲まれた塔と堂という伽藍配置は、寝殿造での、東西門・築地塀に囲まれたなかに、さらに東西中門・廊に囲まれる構成と似ている。回廊に床がつくと一見、渡廊のように見える。古代寺院伽藍の〈軒内包空間・軒内包領域〉（各建物の軒裏線の延長線の内側、図5）はほとんど回廊のなかに納まってしまい[*八]、その分、外部に対して閉鎖的に見えるのだが、似たような構成をとる寝殿造も自らの建物の〈軒内包領域〉をその基本一町四方の敷地のなかに納めてしまい、その貴族の閉鎖性を外に示していたに違いない。

　平安時代後期に書かれたといわれる『作庭記』に、庭の見方が書かれている。この「記」はそのほとんどが庭のつくり方について書いてあるのだが、じつは庭の見方についても書いてある。「遠くて見わたせは」、「さしのきてみむ」、「堂上よりみすへき也」と、庭を正確に見る見方を示している。それは庭をつくっているその場からの見方ではない。庭という対象から遠く離れて、また少し下がって、また庭のある地面からではなく、建物の床上から見るべきだといっているのである。

つまり、「その所にて見るはあしからねとも」（その〔石を立てた〕所で見ると悪くはないけれども）と指摘しつつ、それでは正確に見ていることにはならないと、そこから一歩おいた所からの見方をすることが示されている。つくったその場で見ればよいのではない。寝殿造という高床の、下長押や敷居による高低差はあるとしてもほとんど同じ高さに拡がる床の上から「さしのきて」また「遠くて見わた」して見るのである。庭の遣水《やりみず》を見るのも、「堂上よりみすへき也」（建物の床上から見せるようにすべきである）と記している。

ここから寝殿造の庭が一定の床高上から見られることが強く意識され、造形化されているのを知ることができる。それは自分の立っている場を意識した者の見方である。すでにこの時代に、おそらくはもっと以前から、自分の立っている場の、こうした見方がはっきり意識されていた。つまり彼ら、貴族達は自分の立っている空間領域を正確に意識、把握していたことになる。それは見る側と見られる側の空間の差、位置関係を知ることである。

この『作庭記』は複数の人物の手になるといわれるが、その主たる部分は藤原道長（九六六〜一〇二七）の子・頼通のそのまた子の橘俊綱の手になるとされている。平安時代後期の寝殿造を代表する東三条殿は、藤原頼通（九九二〜一〇七四）が道長から引き継いで作事を行っているし、頼通は法成寺、平等院（一〇五三）の建立にも関わっている。これらはまさに当時超一級の寝殿造の庭、阿弥陀堂の庭を抱えていた。また高陽院《かやのいん》は頼通の邸宅である。その父の作庭を見ながら俊綱は育った。『作庭記』には高陽院の庭の「修造」を、「宇治殿（藤原頼通）御みつから御沙汰ありき（直接、指図した）其時には常参て石を立る事能々見きき侍りき」ことが記されている。寝殿造は（庭も建築も）こうした「遠くて見わたせは」、「さしのきてみむ」、「堂上よりみすへき也」ということを知る貴族達の眼に支えられていた。

貴族達はすでに奈良時代から庭を見る眼を養っていた。庭や邸の廻りの自然、景色、そこにある建築についても、『懐風藻』（七五一）にある長屋王（六八四〜七二九）の佐保の邸と見られる別荘で行われた新羅の使者への送別の宴で歌われた即興の漢詩のなかに生き生きと詠み込まれている。自然、庭、建築、景色と関わった空間性が、すでに当時から強く意識されていた。このような尋常ではない眼があったからこそ、その後の寝殿造の庭はますます洗練され自然から抽象化されていった。

＊七　朝顔はいまの桔梗《ききょう》を指すといわれている。
＊八　拙書『日本の建築空間』の「法隆寺西院の見え方」参照。

(二) 能の庭

平安貴族の眼差しは後世、世阿弥(一三六三〜一四四三)の「離見《りけん》の見」で徹底する。寝殿造においては「さしのきて」見られる対象は庭であったが、そこにも人の眼と庭との間に見る—見られる関係が成立していた。世阿弥における「離見の見」は、屋敷内の書院の前庭にしつらえられた「庭」(能舞台、演能の場)で演ずる者が自らを見る眼、それに見られる自分自身のことである。世阿弥の能にはこうした自己への視線の無限の繰り返しがある。

世阿弥は我見(演者自身が見るもの)でもなく、離見(観客が見た演者の姿)でもなく、「離見の見」という離見と我見とを併せ持った眼を自分の見方として見るよう工夫すべきだと『花鏡』に書いている。

能の庭(能舞台)は寝殿造の庭の抽象化をさらに徹底したものである。さらにそれぞれの演目においてもシテ、ワキ[*九]は出てきても、その場である環境や自然は能の舞台上にはほとんどあらわれない。地謡《じうたい》やシテによって示唆、暗示、説明される場合もあるが、観察者が自らを巻き込ませて読みとるのである。場が徹底して抽象化されている。

能面も表情が動くものではない。固定されたものであるが、これも能面の光と陰、シテの動き、「振舞」、所作、仕草から観察者が表情を読みとってゆく。

能舞台での演者の移動(道行)も抽象化された時間と距離(空間)を進んでゆくことである。また橋掛り前の一の松、二の松、三の松と実物の松が一本ずつ列び、背景は橋掛りを板張りのままにした場合もあるが、描かれた松が同様に列ぶ場合があり、そのときは、その間《あいだ》の橋掛りを演者が通ってゆくことによって松、橋掛り（演者）、描かれた松（背景）という重なった奥行きを観察者は見ている。ここにも層の重なりがある。実物の松と描かれた松という、いってみれば自然と具象の抽象化、さらにいえば、抽象と具象の間《はざま》を演者が通ることで奥行きのある場が設定されている。

古くは橋掛りの背景が吹きさらし（吹放ち）に透けている場合が多いが、橋掛りの屋根を支える柱に囲いとられて背景が抜けて見える。抜けた先は、たとえば書院造の庭であり建物である。その背景が橋掛り、前景と重なってゆく。周辺環境を取り込んだ空間の重なりに遠近が表出されている。海を前後に取り込んだ厳島神社の能舞台はその極限の表現である。

舞台の背後の鏡板に描かれた老松《おいまつ》も舞台に奥行き、パースペクティブを与える。老松という固定した縮尺を持つ描かれた背景を基準にして、観察者（観客）は演者が舞台上で遠近することによって奥行きの強弱を観察できる。そこに様々なパースペクティブが生じる。橋掛りが舞台に対し角度を振って取り合っているのも、観察者に対し遠近感に複雑なゆがみ、距離の測り難さを与える。[＊二〇]

能は空間や時間の抽象化ばかりではなく、場や状況、表情、動きといった様々な抽象の重層化、遠近の重なりの上に成り立っている。観察者がそこに自らを巻き込ませ、それらを見、感じ、読んでゆく。

＊九　シテは能の主役であるが、人間でなく現実の世界にはいない霊や想像上の存在であることが多く、ワキは現実界の人間である。

＊一〇　詳しくは、拙書『日本の建築空間』の「書院造」の節、参照。

(ホ)　寝殿造空間へのインヴォルヴメント

おそらく平安時代の貴族達は四季を感ぜずにはいられなかったに違いない。そして自然の四季を再現することではなく、自然から四季を切り分けつくりだすことへ、知性ばかりでなく、感性、意識を含めた身体中の、否応のない力によって追い立てられていたのだろう。彼らはそれを造形化することができた。それほど彼らはみなぎり、あふれる知性の持主だった。

そしてこのことは、すでに武士の時代となった一三三〇年頃（鎌倉時代末）になる『徒然草』の、「春暮れてのち夏になり、夏果てて秋の来るにはあらず。春はやがて夏の気をもよほし、夏よりすでに秋はかよひ、秋はすなわち寒くなり、十月は小春の天気、草も青くなり、梅もつぼみぬ。木の葉の落つるも、まず落ちて芽ぐむにはあらず。下よりきざしつはるに堪えずして落つるなり」という、吉田兼好（一二八三～一三五〇頃）の観察と客観性を含み込んだ見方に変化してゆく。

ここには、四季という自然を四つの季節に分け抽象化することではない、自然への鋭い観察が記述されている。もちろん、抽象化は避けられないとしても、四季は四つに分けられることへではなく、自然の変化として表現されている。一つの季節が終わってから次の季節が始まるのではなく、移りゆく季節は次に来る季節をはらみ、混じり、次の季節へと推移してゆく。貴族の時代に自然を抽象化する見方から、自然を写実的に見、表現しようとする、武士の時代へと、時代が変わると自然の見方も変化していった。

ただし、寝殿造の庭は自然を愛でる場であっただけではないし、視覚的にとらえられていただけではない。庭は行事、儀式、楽奏、遊興の場なのであった。今でいう観劇、演劇の場でもあった。渡廊、渡殿、中門廊は廊下といった通路として使われるが、そこに部屋がしつらえられたり、場合によっては楽人の楽屋になったりもする。源氏物語には中門廊が「楽人が楽を奏する場所」にしつらえられることがしばしばでてくる。

もともと寝殿造の庭は儀式を抱えていた。寝殿造の南庭で儀式が行われていたことは、絵巻物ばかりではなく『作庭記』にもある。そして儀式のなかに演劇性があったろうことは想像に難くない。そのためその空間は、庭も、建築もその演劇性を受け入れ、高めるものでなければならなかった。寝殿造の庭そのものがそうした場であったし、釣殿、池、橋はその際だった装置であった。そこには舞台的効果が見てとれる。釣殿は多くは廊の突きあたりに位置し、行き止まりであり舞台的効果を高めている。

寝殿造における庭は演ずる場であり、貴族達がそこに参加し観る場であった。貴族における儀式や行事は各人が自分の割り当てられた役を演ずることでもあった。その庭を囲む建物の内部も、演ずる場であり、とくに建物は庭の背景となった。寝殿造自体が室礼、鋪設によって、その時々でつくりかえられる劇場空間であったろう。寝殿もそうだが釣殿はまさに舞台といえそうな位置にあった。

移動を抱えた渡廊は時間をも組み込んだ空間であった。寝殿造における演劇空間であり、観劇空間でもある南庭を臨む渡廊は、後世の能舞台の橋掛りや歌舞伎劇場の花道の起源とも考えられる。

貴族の寝殿造では演ずること、遊ぶこと、自然を愛でることが重なり、それらに自らを巻き込ませ、基本一町四方のなかで室礼、鋪設を凝らし、劇場空間としてまさに劇の場面が展開し、回転するように、折々に演劇空間へと変えていった。そしてその裏には私生活の空間をも抱えていた。源氏物語にはほとんどその私生活が描かれている。物語性が日常性を取り込み攪乱する。登場人物達が寝殿造のなかに自らをインヴォルヴさせ、空間性のなかに溶け込み、物語性を高めていったのである。

(2) 定型の「寝殿造つくり」

(イ) 如法一町家——正方形のなかに

寝殿造には、建物をつなげてゆくことで必要な室空間をとるという考えと、庭を囲うために建物を置くという二つの考えが同時に存在しているように見える。個々の建物のなかでは母屋に庇が取り付き、その外に簀子縁が廻るという母屋・庇・簀子構成（図6）による空間のつくり方がある。一棟一棟の建物で母屋を庇が、さらに簀子が囲っていることは、母屋に中心性のあらわれる可能性を含んでいた。

当時の貴族達は庭、自然への愛着、要求が強かったために、このような「如法一町家」（『中右記』藤原宗忠、十二世紀前後）、基本一町四方（約百二十メートル四方）のなかに、庭と家の「地と図」、「図と地」という見方を、方法的に意識しえたのではないか。ここにも平面を重ねてみる視線を感じる。同時に、庭における水（池、遣水）と土の「地と図」も表現、造形として意識しえていたに違いない。寝殿造とは家造りでも、建物の形式でもなく、「如法一町家」という、一町四方をいかに構成するかの場づくりにほかならない。

平安京の条坊の地割では「町」の大きさはみな同じであり、方位も全く同じである。「最小の単位である坊をみな同じ大きさにつくり、これに必要なだけの道路幅を加え」[*二]ていくやり方でつくられている。平城京は道路の中心線を基準にして碁盤目状にしている。そのため道路の幅によって道路に隣接する坊の大きさが変わることになる。平安京は坊の大きさを同じにしてその外側に道路〔たとえば、大路は（84.85〜24.25m）、小路は（12.12m）〕をとっている。微細な差に思われるが、考え方が全く違う。平城京はまず全体を決め、なかを割ってゆく。平安京は同じ大きさの坊が集合したものである。

いずれにしてもこの正方形のなかでの敷地づくりは、日本の空間づくりに大きな影響を与えた。正方形という方向性の希薄なかたちのなかに奥行きを構成するには、ただ、物理的、距離的に奥行きを深めることだけでは空間は深まらない。そこに操作、工夫が必要となる。ヨーロッパの空間構成とは大きく異なるのである。奥行きをつくりだすことは空間を深め、豊かにし、敷地の大きさを物理的な距離以上に拡げる。寝殿造とは奥行きづくりでもあったのだ。

当時の禁忌《きんき》、吉凶という見方からであろうが、正方形の中心を避けるべきことが記されている。『作庭記』には「方圓なる地の中心に樹」は禁、理由は「囚獄の字なるゆえ」とか、「方円地の中心に屋を建て」るのは禁、理由は「困の字なるゆえ」と記されている。これらも日本の貴族が自ら見つけだしたことではないかもしれないが、正方形の敷地にいかに家を建てるかの工夫である。

敷地が正方形であることが、寝殿造において奥行きや空間を深めることへ、かえって創造意識が徹底的に志向されていった原因ではなかろうか。さもなければ、正方形という方向性の均質な形が空間を拘束してしまう。平安時代の貴族達がこの正方形の特性を徹底して破るべく自分たちの知性を傾けたことが考えられる。寝殿造は「国風文化」という和の文化の一翼を担っていた。

平安京内には無数の全く同じ大きさの、同じ方位の「町」があり、貴族達は寝殿造を何度も繰り返し繰り返し建てることができた。こうした状況は日本の歴史を通して見ても古代律令制と荘園を背景としたこのとき（平安時代の、とくに摂関政治の時代）しか成立しえない。現代では同じ大きさの敷地で、方位も同じという条件で建物を計画することなど皆無といってよい。何度も繰り返すことなど考えも及ばない。しかし平安京ではそれができた。それも貴族の住まいに限られていた。今でいう同じ機能（住宅）のものを繰り返しつくることができたのである。

事実、摂関家藤原一族はたった一つの敷地にすら、寝殿造の家を繰り返し何度もつくったことが記録に残っている。新築、改造、度重なる焼失再建、つくる機会は無数にあった。妻問婚、婿取婚、家族構成の変化で所有者が変わったり、住む人数が変わる、そのたびに増改築が為される。焼失による建替えも時代を通して信じられないくらいの数であった。内裏ですら何度も焼失し、つくり替え、里内裏と、寝殿造がつくられてゆく。「里内裏は……二十ヶ所の多きに及ぶ」*一二という。

源氏物語のなかにも、光源氏邸である六条院を、「もとありける池山《いけやま》をも、便《びん》なき所なるをば崩しかへて……さまざまに、御方々の御願ひの心ばへを造らせたまへり」（「少女《をとめ》」の巻）とあって、以前あった池や築山を新たに住む人々に合わせてつくり変えている。この広大な四町を占める寝殿造は四人の女君の好みに合わせて春・夏・秋・冬の庭につくられた。つまり今でいうクライアント（住み手）の要求を容れて、源氏が「指図」し、変更を加え、新たにつくったのである。住み手が変わり、要求が変わったのだ。四町という正方形を四つに分け、さらに一町四方の正方形が重なってゆく。

敷地の大きさが同じ、方位が同じ、しかも貴族の住まいに限る、そして繰り返し建てることができる、こうした状況のなかで、当時の文化的に有能だった貴族達はその能力を十二分に発揮した。あの『作庭記』を書いた、庭を見る眼、「遠くて見わたせは」、「さしのきてみむ」、「堂上よりみすへき也」という視線を意識しえた貴族達である。

「平安時代には自分より身分の下のものの家に行くことはなかった」*一三、もちろん、私的に訪ねる場合（たとえば「女」の家などへ）、天皇の行幸、里内裏などは別である。ということは、儀式や行事で貴族達が招かれるのは自分より身分の上の貴族の「屋敷」である。自分の「屋敷」より立派であったろうそれらの「屋敷」をそのたびごとに見せられるのである。建築、庭、装束・室礼・

鋪設についての知識や眼が養われたに違いない。それは自分の「家」造り、寝殿造に徹底して利用された。それが儀式や行事に人を招く、招かれるということなのでもある。そこでは有職故実《ゆうそくこじつ》に*一三通じることも目指されたであろう。当時、有職故実は芸能の一種と考えられていた節《ふし》があり、他の芸能と同様、その知識や、実際に行われることが競われてもいた。

敷地の高低差という高さ関係についても日本には古来、高床の建物の流れがあったから処理することはそう難しいことではなかった。建物の下に遣水を通すことがしばしば発生した。方法的にも研ぎすまされていった。敷地は面積が二倍されたり四倍されたりもしたが、基本一町四方のスケール感は毎日住み、暮らし、儀式などで他の貴族の家を訪れても、平安京内、基本はみな同じ大きさの敷地、方位も正確に同じという以上、身近に、身体的にも把握していたであろう。その正方形のなかでの寝殿造のつくり方なのである。それが建物の母屋・庇・簀子構成と合わさり形づくられてゆく。

『枕草子』に「早朝、見れば、屋のさま、いと平に短く、瓦葺きにて、唐めき、さま異なり」とある。つまり家の様子が床が低く瓦葺であるがため中国風に見えたのである。床が低く簀子敷もないため気軽に「女房、庭に下りなどして遊ぶ」ことができた。ここは大内裏内の政務を行う建物（朝所《あいたどころ》）である。一方、日本的な家とは床が高く檜皮葺がふつうだった。女房達はそう簡単に庭にまでは下りられない。このことは女房達が普段は床の高い住居に住んでいたことを示している。それゆえ、ほとんどの時間を過ごす床の上から庭への視線が重視された（図5）。

高床の寝殿造は建物を様々な廊で相互につなげることで成立している。男も女も建物群のなかを天候にかかわらず移動できる。しだいに全体の床の高さも一定となってゆく。「襲《かさね》の色目」（いわゆる十二単《ひとえ》）を着た女房達が、たやすく動き廻れるようになった。室内ではせいぜい下長押、敷居などの高低差を乗り越えるぐらいであった。階段を使う高い高低差は庭へ下りることとつながっていた。土の上を歩くときは装束が汚れぬよう筵《むしろ》を敷いた所（筵《えん》道敷き）を歩かなければならなかった。

大内裏でも内裏（天皇の住居）は素木造、高床で檜皮葺の日本的な建物であった。このように平安時代の建物は寺院建築や大内裏の政務や儀式のための建物（大極殿など）の中国風なもの（瓦葺、土間敷）と、寝殿造という住まいのための日本的な建物とが共存していた。そしてその両者に母屋・庇構成（図6）が適用されていた。[*一四] 寺院建築の日本化もこの時代急速に進んでいた。

当時の貴族達が方一町のスケール感を持っていたことは、『作庭記』のなかにも見てとれる。たとえば、「一町の家の南面にいけをほらんに……」、つまり「方一町の家の南面に池を掘ろうとするのに、庭を八、九丈置くことになると、池の表面はどれぐらいになるか、その辺のことをよく考慮に入れる必要がある」[*一五]と、寸法まで入った正確な広さが把握されている。傍点を施した「一町」には、つくる者の正方形への強い意識があらわれている。こうしたスケール感をもそなえた貴族達が寝殿造をつくり続けたのである。

＊一一　太田博太郎『書院造』前掲
＊一二　池浩三『源氏物語―その住まいの世界―』中央公論美術出版　一九八九年

＊一三　「有職故実」とは朝廷の儀式、行事、官職、服飾、殿舎、調度、法令等を研究する学問のことである。ここから「有職《ゆうそく》」とは物知りのことを指す。
＊一四　図6の「簀子」部分を基壇と書きかえれば、図6は寺院建築や大内裏内の政務や儀式のための建物（大極殿など）の中国風な建物にも適用できる。
＊一五　森　蘊『作庭記の世界』前掲

(ロ)　定型の寝殿造

平安時代は約四百年間続く。四百年とは非常に長い期間である。今から四百年前といえば安土・桃山時代であり、そこから江戸、明治、大正、昭和、平成とこれだけ時代を経てやっと四百年である。気の遠くなるような、時間と、時代の変化である。平安時代の変化の早さは今とは違うにしても、こうした長い時間を少なくとも平安時代の約四百年間、寝殿造がつくり続けられたのである。しかも機能も敷地の大きさも方位も同じである。

物語文学、日記文学、和歌、漢詩の美意識を持ち、それを鍛え上げてきた貴族達とそれに関わる人々が「家つくり」においても、繰り返し建てることで方法的に鍛えられ、その能力を発揮したのである。この当時、建築家、設計者と呼ばれる職能はなかった。貴族達が邸宅をつくることに関わっていたこと、指図していたことは作庭記の藤原頼通のところで記したようにあきらかである。

こうした繰り返しが可能なことによって、寝殿造は、三十一音の定型の和歌の「歌つくり」のように、「如法一町」の定型の「家つくり」、場づくりであったのではないか。それは「国風文化」の一翼を担っていた。寝殿造は貴族達によって洗練されていったが、そこには和歌の三十一文字の定型詩的美意識が働いたに違いない。定型の和歌自体が「不定型の耳できく歌謡を、五七調定型の眼で読む長歌・短歌の形にまですすめた」[*二六]のであって、和歌は耳で聞くばかりではなく、眼で見るものとなった。それは歌のなかに聴覚からの空間ばかりでなく視覚的な空間があらわれたことを意味する。

文字が書かれる材料の木簡から紙への移行は大きな意味を持っていた。視覚に与えた影響ははかり知れない。そのことは文字の形を変えてゆく。文字が空間をあらわしてゆく。細長い木簡に書かれた文字は余白が残らず、空間をあらわしえなかった。しかし紙の上に書かれた文字は違っていた。書かれた文字の形ばかりではなく残された部分、余白にも空間があった。文字の意味ばかりではなく文字の形のなかに世界が込められる。「書」が日本の空間を表現してゆく。「書」に文字の形だけではなく、そこに重なって一体となった図と地を同時に見てゆくことになる。それは図と地を共に見ていた寝殿造とも通じている。寝殿造は一町四方という庭に建物群を置くこと、また建物群をちりばめた残りが庭といった図と地、両方の視線を持っている。

紙をつくること自体が重ねることと関わっていた。和紙をつくる作業は、植物の繊維を重ねてゆくことである。紙漉き一回で紙ができあがってゆくのではない。何回も植物繊維を重ねて隙間をなくし、重ねた結果が隙間をふさぎ紙となる。紙とは繊維の重なりなのである。重ねる材料を変えれば模様ができるし、視覚的な奥行きも深まる。つまり紙つくりはこの時代において重要な文化であった。

また、平安時代には片仮名、平仮名（女手）が用いられはじめた。つまり、日本人は象形文字という漢字と、片仮名、平仮名という表音文字とをともに持ったのである。その結果、多くの人々によって文字が書かれ、読まれ詠われはじめた。物語、日記、和歌（集）などがでて、人々はそのなかに物語や歌ばかりでなく、文字や紙を通して空間を読みとっていった。

『源氏物語』も、源氏物語絵巻と同じように、紫式部が書いた原本が残っているわけではない。書き写され書き写されしてきたものが伝わった。『源氏物語』の時代も紙は大変貴重なものであった。五十四帖もあるこの物語だが、紙の消費を越えて内容（物語）が人々をひきつけ、それゆえ、残されていった。

源氏物語には手紙や歌等、紙がでてくるとき、しばしばその色、様子、どこのものか、たとえば高麗《こま》（朝鮮）産のものであるとか、陸奥紙《みちのくにがみ》、畳紙《たとうがみ》とかが表現される。つまりいちいち表現されるほど紙は大切であり、それぞれに個性や用途があったのだ。その大切さの上に文字が書き落とされ、文字の墨と余白が紙の上に空間を形成する。白い紙ばかりではない。色や模様が重ねられた紙の上に墨が重ねられる。その重なりを人は見、読んでゆく。

平安時代、紙が大切だったことは源氏物語に朝廷直轄の紙屋院《かんやいん》という製紙所の話がしばしばでてくることからもわかる。紙の供給は朝廷にとっては重要な政治であった。こうした後ろだてがなくては源氏物語という紙を消費する世界は生じてこない。

物語にはストーリーばかりでなく場が描かれる。場は背景ではあるが場が描かれなければ物語は成立しない。そして場は空間と複雑に関係する。このことは古い物語ほどあてはまるように見える。源氏物語は物語ばかりでなく場所性、空間性を見事に表現しえた作品であった。物語性と空間性が密接に関わり合った作品だったのだ。

現代では物語性より場所、空間がおもてにあらわれて表現される場合がある。カフカやポール・オースターの小説がそうだろう。小説でありながら物語性よりも空間性、場所性に焦点が当てられ、それをいかに表現するかが問われている。現代の物語は物語性だけを追い求めても内容を感受できないのだ。

物語が場をも語っていることは拙書『「ペーパーバック読み」考』にも書いた。もちろん、空間が描かれていることが必ずしも文学として優れていることではない。だが物語が場を描いていることもまた、確かなことなのだ。

和歌に「本歌取り」という方法がある。先人によって詠われた和歌（本歌）のなかの言葉、語句などを取り入れて歌をつくることをいい、新古今和歌集の選者、藤原定家（一一六二〜一二四一）が究めた。建築にも「本歌取り」は行われていた。それもしばしばなされていた。あちらの建築、こちらの建築から形、空間、色、材料などを「取」ってきてこれからつくろうとする新しい建築に取り込む。しかし、建築は和歌のように言葉で出来上がっているものではなく、物で出来上がっており、またディテールに差がある。建築のディテールはリアルであり、物そのものである。そして、それが現前しあらわれる。材料は自然界にあるもののなかから選びだし、それを加工したりそのまま使ったりする。

現代建築でも「本歌取り」はしばしばなされている。しかし、「本歌取り」は「本歌」を明確に示すことによって成立する。「本歌」を明らかにしない現代建築は不毛である。フィリップ・ジョンソン自邸は、「本歌」をミース・ファン・デル・ローエのファーンズワース邸に取ったことを明らかにしたがために大きな影響力を及ぼした。[*一七]

茶室をつくるのに「写し」という手法がある。優れた、名のある茶室をそのままにつくるのだが、これがいかに真似ても同じものにならない。そこに建築と和歌の違いがはっきりとあらわれている。材料を自然のなかから選んで使う建築の特殊性がある。

定型詩的美意識が働いたのではないかと記したが、寝殿、対、渡廊、釣殿、泉殿、門、池、遣水などは和歌の「ことば」、たとえば五・七・五・七・七の五や七といった一つ一つの言葉のまとまり、きまり、あるいは歌語《うたことば》、枕詞などに当たるのかもしれない。それは基本一町四方、つまり正方形、その整数倍という定型のなかで行われたのであって、左右対称という「家つくり」の定型のなかではなかったのだ。そこで平面を重ねて見る方法も研ぎすまされていった。そしてそこに様々な奥行きをつくりだした。日本人は左右対称と非対称とを二項対立として見ていたのではなく、同じ平面性の変化として見ていたのではなかろうか。そこに日本の空間の進化の理由がひそんでいるように思われる。

寝殿造は住宅であり、同じ母屋・庇構成である寺院建築における本尊といった中心的存在をもつ礼拝的空間、あるいは儀式的空間と異なり、当時の貴族達の生活から考えても左右対称性はあらわれにくい。[*一八] 寺院建築も神社建築も、古代以後も左右対称性を崩すことは少ないが、住宅建築では寝殿造当時から、また書院造へと左右対称へのこだわりが明確に捨てられてゆく。書院造では書院（窓）の扱いなど上からの光でなく、横からの光が左右対称性を破った大きな原因である。西欧の上からの光を重視する建築には左右対称的な建物を多く見ることができる。

　寝殿造は住宅であっても儀式を抱えた空間であったがため、平安時代初めには、左右対称的な建て方が平安初期を表現した物語である『宇津保物語』に読みとれるが[*十九]、それが次第に変化してゆく。書院造では接客という機能を取りこむ必要性がでてくるが、それを接客空間に限定したがため対称性があらわれるのはその部分に限定されてゆく。

　『落窪物語』に、「面白の駒」の顔の大づくりな様子から見れば、「左右に対《たい》建て、寝殿も造りつべく」とした誇張した表現があるが、これなども左右の対があることは立派な寝殿造だという含みがある。つまりそうでない寝殿造も多かったのである。

　一町四方の整数倍といっても、それは身分の高い貴族のことで、『大鏡』には藤原顕忠という人が右大臣であったにもかかわらず「四分一の家にて大響したまえる人なり」との記述がある。「四分一の家」とは「一町の四分の一をいふ。公卿の家は、一町四方の定にして、国司等は、其の四分の一に限りたるなり[*二〇]」。

　身分の高い貴族は一町四方が「定」であったが、そこまでいかない貴族達は小さな敷地に住んでいた。しかし四分一とはこれまた正方形であることが興味深い。なかへなかへと入れ子になっていくようなイメージが湧く。「四分一の家」はどういった寝殿造の配置をしていたのか。同じ正方形をどう扱ったのか。一町四方を基本に入れ子に縮まって「四分一の家」、逆に拡大して「四町を占める」寝殿造と、正方形が様々に重なってゆく。それは一町四方という正方形を基本として、縮まる方向（四分一）と拡大する方向（四倍）とで螺旋《らせん》的に拡・縮がなされているようにも見える。敷地の正方形は日本の建築空間に大きな影響を与えている。寝殿造を読み解くことはこの正方形を読んでゆくことでもある。

＊一六　家永三郎『日本文化史』　岩波書店　一九五九年
＊一七　このことに関しては、一九九八年十月、「ジョンソン自邸とファーンズワース邸」として原稿をまとめているのでいつか発表の場を持ちたいと思う。
＊一八　理由については次節「対称性の相対化」参照。
＊一九　太田静六『寝殿造の研究』前掲
＊二〇　関根正直『大鏡新註』

(3) 対称性の相対化

寝殿造では場のつくりかたとして、水のことが大きな関心の的《まと》になる。水は遣水《やりみず》といって動くことが前提としてあった。まず水をひくことが考えられ、建物はそのあとで配置されることが多かった。

源氏物語の「六条の院造り」の場面には、庭のことばかりがとくに詳しく記述されている。水、築山、植物である。建物はほとんど記されることがない。光源氏邸である「四町を占めて造らせ」

た六条院の四つの町すべてが、「水のおもむき、山のおきてをあらためて」、つまりまずは水や山（築山）といった自然がつくりかえられ、そして「さまざまに、御方々の御願ひの心ばえを造らせたまへり」と、四つの町にそれぞれに住む女君たちの希望に合わせて、一人一人の女君の好きな季節に合わせて、庭がつくられてゆく。東南の町（春の庭）は、源氏と紫の上の住まいだが「池のさまおもしろくすぐれて」、西南の町（秋の庭）は、六条御息所《ろくじょうみやすどころ》の旧邸だが娘の秋好《あきこのむ》中宮が継ぎ「泉の水遠くすましやり」と泉の水を遠くまで清らかに流すことで、北東の町（夏の庭）は、花散里の住まいで「涼しげなる泉ありて」と庭が造られてゆく。

「少女《をとめ》」の巻には六条院造りのことが一つ一つの町ごとに詳しく書かれている。その場面では、水（遣水、池、泉）や築山、草木、花のことは丁寧に書かれているが、建物のことは、とくに主屋である寝殿、対、泉殿、釣殿、廊（渡廊など）の名は一切でてこない。わずかに「馬場《むまば》の大殿《おとど》」、「御厩《みまや》（馬屋）」、「北面築《つ》き分けて（築地塀）」、「御倉町《みくらまち》（倉の並び）」といった付属の建物のことばかりが書かれている。

光源氏が元服し葵の上と結婚したとき、住まわせようと、亡くなった母の桐壺更衣邸（二条院）を父・桐壺帝が「改め造らせたまふ」ときにも、建物の記述はなく「もとの木立《こだち》、山のたたずまひ、おもしろき所なりけるを、池の心広くしなして、めでたく造りののしる」（「桐壺」）と、自然のこと、庭のことだけが記されている。

これらのことは、ここでの寝殿造では母屋、対、廊、泉殿、釣殿は当然あるべきものとして特記されなかったためと考えられる。これらの主要な建物のいずれかがあることはどの「家」の寝殿造にとっても当たり前のことであり、その「家」を特徴づけなかったのだ。平安盛期にこうした傾向があらわれていたことが読みとれる。和歌における三十一音、五・七・五・七・七といった言葉の列びのきまり、形式のようなものであった。和歌を読むとき誰も五・七・五・七・七を数えはしない。言葉のなかに意味を読みとろうとする。寝殿造も母屋、対、廊、泉殿、釣殿はすべてではないとしてもあるのが当然であり、それを見る貴族はそれらがあることを見るのではなく、自然（庭）と建物が構成する空間を読もうとしたのだ。

寝殿造では水、山（土）、植物をどう配するかといった自然を扱うことが重視されていた。六条院という四季の庭を内包した庭であるがゆえに、このことが特化してあらわれている。

水という要素が、寝殿造の左右対称性を相対化する大きな要素となった。平安京では、どこから敷地に水を引き込んでこられるかは寝殿造を大きく左右した。山水の庭は水を生かすことからはじまる。建物はそこから考えられることが多い。そこではシンメトリーは力を持たない。

そして池だが、当時の邸宅の池に四角い池は見あたらない。水口から池に到る流水も直線ではありえない。「水はうつはものにしたかひてそのかたちをなすものなり」（『作庭記』以下この節は同上と記す）、いかに自然を抽象しようとしても『作庭記』[*二]の「生得の山水」（自然本来の風景、姿）を重んずる考え方からは、流れの形の抽象は直線ではない。川、遣水は動くと考えたほうが自然である。「水は入れ物に随って形をなし」（同上、森蘊訳）とあるように、池は溜りではあるがその水は地形に従う。池に浮かぶ島も四角い島は考えにくい。自然の地形に従う池の形は曲線である。

水にこだわることが、シンメトリーにこだわる必要のないことへと自然に導いたと考えられる。平安京では地形から、水は基本的には東北から南西へ流れていると考えられていたから、遣水は敷地のなかもそう流すのが良いとされた。陰陽五行説、風水からもそれがかなっているといわれている。逆にそれゆえ、水が東北から南西に流れるこの地が京に選ばれたのだが。

もちろん、平安京という広い地域では、このように水を流すのはそう簡単ではなく、土地の状況によって水の流れの方向は変わる。水の出ない場所もあった。東三条殿では泉の水は西側からであった。東三条殿には西の対がなく寝殿造の建物群の対称性がくずれているが、それは西側に「千貫泉」があったからだといわれている。いずれにしても水は敷地や空間の対称性を相対化するものであった。一町四方の正方形の敷地は、まずこの水によって正方形の距離感、形態的特性をくずされた。

遣水という「水を走らす細流[*三]」は陰陽五行説による禁忌《きんき》、吉凶という見方から流れる方向をおおむね決められる。それは「東より南へむかえて西（南西が最高）へながす」（同上）が基本であって対称性とはかけ離れている。たとえ、「北より出ても東へまわして南西へなかすへきなり」（同上）なのである。そのため建物をどう計画しようと、遣水は建物の下を通らざるをえない。

水が流れるのは敷地に高低差のあることを意味する。敷地の高低差は建物においては高床という構法でその差を吸収できる。水の流れにおける高さの差は、一つには滝をつくる契機ともなる。滝は水の流れによって鳴らなければならない。そのための工夫も必要だ。他にも音の鳴る工夫がある。せせらぎ、岩に水の当たる音、上述した源氏物語の六条院の秋の庭には、「水の音まさるべき巌立て加へ、滝おとして」とある。滝が鳴るとそこには耳から聴く空間が出現する。寝殿造は目から耳から、五感を鋭敏にして感じとる空間となる。

それゆえ、枯山水の滝口や流れがもたらすものは、物理的には聴こえぬ音を聴く空間となる。それは聴こえぬ音を聴く庭なのである。それは逆説的に、貴族達が自然を読もうとするとき、五感を鋭敏にして自然に対したことを抽象化したことの極度のあらわれなのである。

庭に「石を立て」ることもシンメトリーを破綻させる。「庭上に立てる石は、舎屋の柱の筋に立ててはならぬ*一三」、「まず石を立てるには、第一に水の曲折したところをはじめとして……立て」（同上、森蘊訳）とあり、ここには建物の柱筋と石の位置のずれ、遣水の曲がることが記されている。『作庭記』には、「すぢかえて」という対称性を破るつくり方、見方が書かれている。たとえば、寝殿前の南庭に「島から橋を渡すことは正しく階隠の間の中心に当ててはならぬ。すじ違いに橋の東の柱を階隠の西の柱に当てるべきである」（同上、森蘊訳）、「このことによって寝殿の南側板縁から眺めた橋の美しい正側面（斜め）の曲線を観賞することができる*一四」と。ここには実際の観察者の目の動きがとらえられている。事実、『年中行事絵巻』（図8）にしろ、『駒競《こまくらべ》行幸絵巻』にしろ、これらの絵巻物のなかには、建物（寝殿）の芯と橋の芯のずれた姿が描かれている。

つまり、個々の建物には直線的な芯があっても庭にはそうした芯は見あたらない。すでに記した「庭上に立てる石は、舎屋の柱の筋に立ててはならぬ」（同上、森蘊訳）では、石も柱の芯線上に立ててはならないことが記されている。寝殿造には芯があるものとないものとが重層しているのである。

一つ一つの建物（寝殿、対など）の形に支配的な対称性は、庭、そしてそれを含む「如法一町家」の寝殿造、つまり群としての空間、「屋敷」をつくる方法としては、そのまま敷衍させることはできないということだ。

しかも敷地に高低差があり、場は、水面、地面、床面（建物、橋などの）が面として高さを変え、かつ交差、交錯、重層し、立体的に配置され、使われている。寝殿造を空間的に見、読んでゆく面白さの一つがここにある。

正方形という敷地の特性がくずされ、改変され、ゆがめられ、変質してゆく。そうしたことが自然（水、土、植物）、寝殿、対、廊、門、築地、垣などによってなされ、それを読んでゆくことになる。現在、我々が寝殿造を現実に持っていないことは決定的に不幸である。そのなかに入り込み五感で確認できないからだ。それゆえ、文学、記録、絵巻物、遺跡などから空間を読むことになる。実物の庭は平等院鳳凰堂、毛越寺の庭などから空間イメージを重ねる必要があるだろう。

寝殿造とは単なる建築づくりではない。いってみれば一町四方のなかの庭空間と建築空間との全体化なのである。「寝殿造」はその「寝殿」と「造」という言葉から建築空間に目を向けられすぎてこなかっただろうか。一方、『作庭記』は庭のほうに圧倒的に意識が注がれている。

重要なことは、建物内部のグリッド構成は寝殿造において建築空間に論理性を与えていること、庭には自然を利用し抽象化した論理性があること、つまり異なった論理性の集合、重層によって寝殿造全体が成立していることである。

こう見てくると、庭をつくること、庭を見る見方、建物をつくること、建物を見る見方、建物を庭に配すること、建物のなかに五感を通じて庭を取り込むこと、の落差に、あるいはそれを両立させ、その両方を操り、寝殿造という全体をつくりあげてゆく貴族達の感性に圧倒される。そこには意識の反転を含めた見方が示されている。

寝殿造とはただの「家づくり」ではなく、高低差のある敷地に、自然にある湧水、池[*二四]、沼を徹底して利用し、建物[*二五]を配し、庭を配し、自然を配し、その「地と図」を反転させつつ、立体的に配置し、「仕切り」、室礼い、しかも基本一町四方のなかへ人工と自然に対する手と人知を究極に加え、駆使した〈寝殿造つくり〉であったのだ。外部空間、内部空間にわたり、囲いとり、そこに自ら（貴族達自身）を巻き込ませてゆく。

*二一　ちなみに『作庭記』は平安期の「寝殿造系庭園の造り方を解明した伝書」（森蘊）といわれている。

*二二　森　蘊『作庭記の世界』前掲

*二三　作庭記のこうした記述の多くは「〜すべき」とあるが、理由ははっきりとしない。理由が記されていても吉凶や陰陽道からであったり、禁忌からであったりする。

*二四　池は月を映す鏡でもある。庭に月をすくい取るのだ。そしてそれが照り返って辺りを照らす。しかし『源氏物語』に月夜に庭に出て遣水に落ちたという話が出てくるから庭はそれほど明るくはない。しかし月のあかり、池に映った月のあかりの反射に、庭や軒端に微妙な明るさ、暗さのグラデーションがあらわれることに、当時の人々は「あはれ」を感じたのだ。月の光を寝殿造という空間に取り込むことが周到に用意されていた。

*二五　建物自体の構成は母屋・庇・簀子構成（図5、6）である。

(4) 門から道へ

かつて「如法一町家」に南門があり、そこから人が出入りした寝殿造もあった可能性がある。それは中国の四合院や飛鳥・奈良時代の寺院建築のプランを取り入れたものであったであろうが、必ずしも南門から入る必要性がなくなったとき、外国の住居形式、寺院建築というコンセプチュアルなプランからの呪縛から解き放たれたのではなかろうか。寺院建築というコンセプチュアルな空間から、儀式を抱えてはいたが実用的な生活空間、住居《すまい》へと変わった。回廊というコンセプチュアルな領域を囲う装置は必要なく、築地塀に囲われたなかに寝殿造が展開された。そして敷地の南部分が自然のための空間に開放された。それは寝殿造の敷地面積からいえば大きな部分を占めていた。敷地の南を人の出入りを考慮することなく自然や池で占めることができた。自然が大きく取り込まれ、儀式や行事はそれを利用するかたちでなされた。

制度的には、「中国伝来の南門制を廃して東西両正門式に改めた」[＊二六]のであり、それは平安初期の神泉苑《しんせんえん》からなされていたといわれるが、住まうことにおいては庭を見ること、使うことが重視されたことで、こうしたことが発生したと思われる。それは住まいに自然を大きく持ち込むことであった。それが貴族の住まいを寝殿造という、寺院建築や四合院とは全く異なった空間へと飛躍させた。奈良時代は貴族の住宅といわれる平城京南外の「北宮」(図4)を見ても南門が正門である。

天保十三年（一八四二）、江戸時代の末に書かれた『家屋雑考』（沢田名垂《なたり》）には「寝殿造」についての記述がある。この書は平安時代のものではないので内容に問題が多々あるが、「寝殿造」の名の由来はここからきているという。[＊二六] そこに「東西廊の中程に、各小門あり。廊の内を切通しにして扉なし。是を両中門といふ。こはいはゆる回廊にて、東の渡殿、西の渡殿などいふ是なり」とあるので、ここで廊は回廊的にイメージされていたと考えられる。しかし廊は寺院建築における回廊とは形は近似していても内容は全く異なる。

中門は、『家屋雑考』に、さらに、「屋根あり、扉なし」と書かれるが、源氏物語「宿木」に「中門の開きたるより見せたまへば」とあるから扉はあったと考えられる。『年中行事絵巻』にある中門にも扉が描かれている。

ふつう、客は「末摘花」に「御車寄せたる中門」とあるように中門廊の中門（図3）の北側で牛車から降りて簀子にあがりそこにある妻戸から内部に入った。車から直に簀子に降りることもできた。

『年中行事絵巻』には開いた中門の板戸や中門廊の妻戸の部分を通して南庭で行われている行事（「舞御覧」図8、「闘鶏」図15）を見物している人々の姿が描かれている。

また池の傍らから見ている人もいること（「舞御覧」）から池（広く深い水面）は閉鎖空間をつくる装置の一翼を担っていたかもしれない。ここからも視線が通ってゆく。

中門廊は外部側は壁と妻戸で閉鎖的に仕切られているが、内部側（南庭側）は吹放ちになっているから、中門やその脇の妻戸が開いていれば、視線は庭から寝殿の奥にまで通ってゆく。そこ

（田中家所蔵・日本の絵巻８・中央公論社）

で女が「端」に出ることがはしたないこととして作法としても禁じられる。ほとんど壁がなく、柱の間は開閉できる仕切りでできている建築空間であるがため、「端」に出れば男の目に触れやすい。寝殿造の空間構成はこうした視線の抜ける透明な空間であったのである。女達が警戒するのも無理はない。

　中門廊の外部側の壁の上部には覗き窓（連子窓、図15）があった。これは三位以上の貴族の家に許されていたという[*二七]。門と中門との間を囲う空間の仕切りには興味がある。門は施錠されているが、昼は施錠が開いていて、中門前まで入ろうと思えば人が入れたのだろう。それを連子窓（覗き窓）から誰かが見分けるため覗いた、または誰何《すいか》した、そう考えたほうが自然だ。夜は門が施錠されてしまうため、内側からの手引きがなければなかへは入れなかった。和泉式部日記に夜、門が閉まっていて門をたたく場面がある。「宮、（和泉式部の所へ）例の忍びておはしまいたり……。門《かど》をたたくに、聞きつくる人もなし」とある。敦道《あつみち》親王

図15　『年中行事絵巻』巻一「朝覲行幸・闘鶏」

（宮）は和泉式部の所に男がきているのだろうと帰ってしまう。門が閉まっていれば、たたいてもなかで聞きつける人がいなければ開ける手段はない。忍びであれば大きな音は立てられない。

高貴な人物の場合は中門を通って南庭へ車（牛車）を入れた。『小野雪見御幸《おののゆきみごこう》絵巻』に、白河院が雪見に比叡山の小野里に皇太后（藤原歓子《かんし》）を訪れた場面がある。中門から入った院の車が南庭の寝殿南階の前に止められている。

各寝殿造の主要な出入口が東と西に限られたとき[*二八]、道を挟んで隣家の主要な出入口（門）と対面する可能性があらわれてきた[*二九]。南を正面とする寺院建築、住宅建築にはそうしたことは起こらない。飛鳥・奈良・平安時代、寺が集まる地域でも南門が正面であるから道の使用方向における対面からの重なりはない。寝殿造が影響を受けたという中国の四合院という住居形式も南を正門としているので、住宅の集合した地域でもこうした重なりは起こらない。四合院前の胡道《フートン》という道は基本的に南を正門とした住居の集合を成立させる道であった。

寝殿造では、後からつくる側が、道を挟んで主要な出入口が重なることを避けようとしたであろう。年中行事は日が決まっていたから、行事が重なれば両側の家から道が同時に使われる。おそらくそれを避けようとしたであろう。敷地は平安京のグリッドプラン上に配されている。同じ道に面した場合、寝殿造内の建物配置から考えると門の位置はいかに工夫しても百二十メートルの幅のなかでそれほど離れない。

門だけでは機能せず後の物見窓（覗き窓、武者窓）的なものが外部に向かってでてくる契機である。寝殿造において外廻りの門（四脚門）廻りにそれらしきものは見あたらない。中門廊には覗き窓（連子窓）があり、それが「書院造」の「実検《じっけん》の窓」などに残ってゆく。

＊二六　太田静六『寝殿造の研究』前掲

＊二七　はばかることなく覗くという行為が特権的行為と見なされていたのであろう。

＊二八　「我が国に於て南正門制を改めて東西正門制にした最初の例は神泉苑に於てである」（『寝殿造の研究』）、また神泉苑《しんせんえん》（八〇〇年頃）は「正殿の南方に中島を持つ大池の存在は創建当初以来である」（同）。

＊二九　「空間秩序からみた平安期貴族住宅の研究」（飯淵康一）の「礼向き決定の要因」に道を挟んだ礼向きの重なりが図化されている。

「秋風（六條御息所）部分」久保田華光画

第三章　源氏物語空間読解

はじめに

源氏物語自体は文学であって建築空間的なことが書かれたものではないことはいうまでもない。しかし源氏物語は、平安時代の貴族達の住まいである寝殿造が主に舞台とされ、その場に物語が展開する。源氏物語を読むと、文学であると同時に建築空間をも見事に表現しえていると感じる。逆にいえば、源氏物語はその舞台となっている寝殿造の建築空間を曖昧にし、理解しないでいると、その文学の意図するところを深く理解できないことになる。ここでは文学のなかに建築空間を詳しく見てゆく。

いままで記してきたように、和歌と同じく寝殿造の空間構成は源氏物語という物語を支える強力な骨組みなのである。当時の貴族達が空間を把握していたことは、源氏物語ばかりでなくその他の物語文学、日記、源氏物語絵巻（現存するのは十二世紀のものだが）、その他の絵巻物のなかに、言葉ばかりでなく視覚的にもあらわれてくる。「吹抜屋台」という描写方法は当時の内部空間、外部空間を表現するすぐれた方法であった。そこには平面（plan）も、立面（elevation）も、空間までもが表現されていた。

この章では源氏物語のなかから「奥」、「端」、「鎖《さ》す」[*一]、光と闇、五感[*二]をキーワードとして主に取り上げ、考察する。

＊一　「鎖《さ》す」とは施錠すること、戸締まりをすることであるが、「固《かた》め」、「かけがねしたる」という言葉も使われる。

＊二　源氏物語には酒を飲んだり、粥《かゆ》を食べたという記述はあっても味覚に対する記述がない。味覚に対する鋭い感覚はあったと思われるが、言葉でそれをあらわす興が起こらなかったのだろう。それを言葉で記す意欲が湧かない分、その他の四つの感覚へ言葉を研ぎすますことが向いていったのだろう。

(1)「奥」と「端」の分類

(イ)「奥」

「奥」という言葉をどう考えるかについては拙書『日本の建築空間』で触れている（とくに第一章の1、2)。「奥」は日本の建築空間を探ってゆく一つの重要な言葉と考えられるが、言葉自体が曖昧でありその構造は抽象的でわかりにくい。そのままでは日本人でも理解しにくく、ましてや外国人にはなかなか理解することがむずかしい。それを論理的に、あるいは、わかるように表現し、理解されるよう努力する必要があろう。「奥」とequivalentな英語も見当たらない。

源氏物語については英訳『The Tale of Genji』(Edward G. Seidensticker 訳)が出版されており、それと原文とを比較してみれば、日本人と英米人の空間把握の差がでてくるのではなかろうか。それは言葉の差としてもあらわれてくるだろう。日本と英米との空間把握の文化論として記述できるかもしれない。源氏物語のなかの空間の表現が微妙で繊細であり、しかもそれを表現しえているがため、その差が露出してくるだろう。源氏物語を語ってゆくことが、とくに日本と西欧の文化の違いを、また場合によっては近似した部分をも語ってゆくことになるだろう。

本書では詳しくは触れないが、英訳では原文にある「奥」は省略されることも多く、さもなければ意訳されている。「奥」に対して、in the recesses of という言葉も使われるが、これでは場所性が強く出過ぎる。原文では微妙に表現される場所性を英訳では場所を指定している場合が多い。たとえば原文で「端」と表現されているところを「庇」と特定する。つまり翻訳者の解釈が入り込む。

主語や場所がはっきりしている英訳は理解しやすい。たとえば原文には主語がほとんど記されていないからである。英訳が出て源氏物語がより理解できるようになったという声が出てきても不思議でない。ということは、両者には明らかに差があるということも事実なのだ。英訳を日本語に訳し直しても原文には決して戻らない。

「奥」という言葉は、むしろ曖昧にされることで、深さだけを意味づけられることもある。その曖昧さのなかに本来の意味が隠され、それに相対《あいたい》した、つまりインヴォルヴした個々の人々に勝手に解釈される。非常に感情移入されやすい言葉であり、その分、危険な言葉である。

その「奥」という言葉が源氏物語のなかにしばしば使われている。源氏物語のなかから「奥」という言葉を抽出し、この時代の「奥」に関わる意味や構造、さらに建築空間との関わりを以下に探る。

(ロ)「奥」と「端」

「奥」を読み解くにあたって、まず源氏物語から「奥」と「端」を抽出し意味を分類して、物語のなかで使われる「奥」、「端」という言葉が意味する場を探り、対比し、それにつれあらわれる寝殿造の空間、空間性を読み解いてゆく。源氏物語が日本の初期の文学で最も長編であり、「奥」、「端」という言葉があらわれる回数が多いのもこの物語を取り上げた理由の一つである。

(ハ) 分類

源氏物語のなかにでてくる「奥」という言葉をその意味する内容によって分類する。

(1) 建築空間と関わった奥
(2) 自然（建築といった人工物でなく）の奥
(3) 手紙の終わりなど
(4) 心の奥
(5) 将来または逆に古いほう
(6) 奥ゆかしい・慕わしい・心憎い
(7) より（more）

（8）　固有名詞（陸奥《みちのく》など）

それを源氏物語全体にわたって一覧したのが別表左部（巻末）である。このなかで(1)建築空間と関わった「奥」が総数57例に対し30例で他と比べると圧倒的に多い。「奥」は建築空間と関わる場合の多い言葉であることがわかった。

この30例をさらに以下のように分類する。

(a)　母屋が「奥」と深く関わっている可能性のあるもの〔4〕

(b)　方向性の「奥」を示すもの〔26〕

「奥」は母屋と関わるより、方向性を示す場合が非常に多いことがわかる。(a)であってもその意味には方向性としての「奥」が含まれている。

また、当初、「奥」と対比的に使われることがあると予想していた「端」という言葉についてもそれがどういう空間性を表現しているか、どういう空間と関わっているかを調べた。その意味する内容によって分類する。

(1)　建築空間と関わった端

(2)　物の末端

(3) 一部、断片

それを源氏物語全体にわたって一覧したのが別表右部（巻末）である。建築空間と関わった「端」が総数94例に対し40例で、ほかと比べるとかなり多い。「端」も建築空間と関わる場合の多い言葉であることがわかった。

またこの両者、「奥」と「端」について以下の分類を試みた。

(イ)「奥」と「端」が対比的に使われ、これらの言葉が、あるいはそれが深く関わる言葉が両方共に表出されている場合。

(ロ)「奥」と「端」が対比的に使われているが、一方の言葉が表出されていない場合。

(ハ)一方のことだけが述べられている場合。

「奥」については(イ)2、(ロ)1、(ハ)27であった。つまりこの結果、「奥」という言葉が「端」と対比的に使われていることは非常に少なく「奥」についてだけ述べられることが多いことがわかった。また、(ハ)と(b)との組合せが多いことから、「奥」は単独で使われることが多く、方向性を示す言葉であるとの理解ができた。

「端」については(イ)2、(ロ)2、(ハ)36であった。つまりこの結果、「端」という言葉も「奥」と対比的に使われていることが非常に少ないことがわかった。たとえば、「帚木《ははきぎ》」の巻における「端つかたの御座」と「奥なる御座」というように、対比的にあらわれる場合は珍しい例といえる。

「端」の40例のうち、外部空間に近い場、庇（廂）と強く関わって表現されているものを取り上げると33例となる。そのうち「端近」が23例であり、「端つかた」「端のかた」が6例である。この結果これらの「端」、「端近」、「端つかた」、「端のかた」という言葉が持つ意味、その言葉が示すのは、外部空間に近い場や庇と関わっているといってよい。「端」という言葉が外部空間に近い場、庇の場と関わって意味されていると考えられる。

前述のように、「端」の場合も、「奥」と対比されず「端」だけで用いられていることが多い。「端」は源氏物語のなかに、「奥」の倍ほど数がでてくるが、「端」は「奥」と違って方向性ばかりでなく、それだけでかなり特定の場（庇）を表現することがあるからである。たとえば、「端」や「端近」は、建築の内部空間と関わった部分で使われるとき、庇の簀子に近いほう、つまり外部空間に近いほう、という意味を持たされることが多い。また庇の間《ま》そのものを指していると考えられる場合もある。「端」はこの言葉単独であっても、「奥」とは異なり意味、場所の限定性がはるかに強い。

このような「端」がもつ場所の限定性を「奥」に比較してみると、「奥」は母屋といった場所を限定的に示すことは稀で基本的に方向性を示している。その方向性もほとんどが漠然とした方向づけである。

また、「奥」と「端」という言葉の使い方で大きく異なるのは、「奥」は主語、主体の位置によって、つまり主体（主語）から見ての方向性を示すが、「端」は主語、主体の位置にかかわらず外部空間に近い場を示すことである。

(2) 「奥」、「端」、「鎖《さ》す」、「光と闇」、「五感」の分析

上記の分類の内容を具体的に見てゆくが、源氏物語のなかにあらわれてくる寝殿造について触れる必要がある。源氏物語の「末摘花」の巻（再び末摘花が登場する「蓬生《よもぎふ》」の巻も含めて）には、平安時代の寝殿造の空間の特性が、他の巻と比べてかなりはっきりとあらわれている。

その理由は後に詳しく説明するが、ここには光源氏が末摘花と会う段取りをつけてゆく、その過程にしだいにあらわれてくる寝殿造の空間、その序列、「奥」や「端」の当時の空間のとらえ方、「鎖す」ことの意味、光と闇の方向性、五感を通した空間の把握が見えてくる。

これらをキーワードとしてその意味を調べるには、寝殿造の空間特性をとらえる必要がある。それも源氏物語の紫式部が表現したなかから、具体的にこの寝殿造の空間特性を見てゆく。

源氏物語の内容は大きく見れば男女の恋愛の物語である。そこで男と女が「会う」、「見る」ことが物語の発端となる。この出会いによって物語がはじまる。男が女と出会う、出会い方がこの物語では非常に注意深く扱われ、一人一人がみな違う出会い方をし、その時点から物語が急転回してゆく。紫式部はそのそれぞれの出会い、会い方を空間性と絡めて表現している。

そこでまず「末摘花」の巻から「見る」、「会う」に視点をおいてその場面の文章を抽出する。

源氏物語は何代にもわたる恋愛の物語であり、男と女が「見る」、「会う」ことが物語の進展に大きな影響を与えている。「見る」とは主体が対象を認識することである。その対象とは人であったり、物であったり、状態であったりする。

源氏物語の「見る」には様々な意味がある。現在使っている意味での「見る」という意味もあるし、「会う」、「（たとえば女の）世話をする」、「知る」、「異性と関係する」、「妻とする」など多くの意味がある。

平安時代当時、男と女が面と向かって会うことは、同衾する場合、その同衾の以後を除いてまずはなく、その場合でも闇のなかという場合が多い。顔を直《じか》に相対して見られる機会は子供でもなければふつうにはない。

たとえ子供であっても、源氏物語の話のすべての発端である「桐壺」の巻で、幼い光源氏に対し、義理の母・藤壺は「切に隠れたまへど」（1p35）と顔を隠そうとする。源氏は幼くして源氏を残して死んだ実の母・桐壺更衣に似ているといわれる藤壺に「なずさひ見たてまつ」りたい、つまり「身近に馴れまといつ」（校注）いて会いたいと思う。しかし藤壺の姿は「漏り見たてまつる」、つまり「几帳の綻《ほころび》〈綴じないであけたところ〉や屏風の端からつい姿が漏れるのを見る機会がある」（校注）だけである。義理の親子にしてからが、直接に相対するのではない。まだ源氏が元服（十二歳）する以前の話である。

この「漏り見たてまつる」という言葉には、どこそこから漏れ見える、という内容が背後にあり、このことは先に示した「見る」構造における見る主体と見られる対象との間に、主体が見ることを遮る何かがはさまれて置かれたり、置いてあったりする位置関係が存在していることが前提とされている。それをここでは「仕切り」と記す。「仕切り」については第一章の(3)で詳述した。また、すでに第一章「垣間見る」の項で記したように、「垣間見る」も物越や物の隙間から見るのであり、そこには「垣」や「隔て」といったものがあることが前提とされている。

そのことが源氏物語のなかの空間の構造、人間と空間との関係に大きな影響を与えているのではないか。空間を通して見ることを通じて源氏物語のなかにどういう空間があらわれているのか、仕切り、隔てることによってそこにどういう空間があらわれてくるのか、それが人々の動き、意識にいかなる影響を与えているかを次に考察する。

まず「末摘花」の巻のなかのいくつかの節における「主体」、「対象」、「仕切り」を明らかにし、その意味と関係を探る。そしてそこから寝殿造の空間を取り上げ、その空間と関わった「奥」、「端」、「鎖す」、光と闇、五感に関する意味や構造を考察する。さらに、別の巻のなかから特徴的な例を取り上げ、そこでも空間と関わったこれらキーワードに関する意味や構造を読み解いてゆく。

例一[＊三]　末摘花の巻

まず取り上げた文章のなかの「主体」と「対象」を特定し、そこに介されている「仕切り」を指摘し、その意味を述べ解説する。

＊三　この「例一〜十四」に取り上げた巻の順序は源氏物語の各巻の順序と一致していない。できるだけ内容と関わったものの順に並べたためである。

(1)
「さべき宵など、物越にてぞ、かたらひはべる」(1p247)
・主体―命婦《みょうぶ》(女)
・対象―末摘花(女)
・仕切り―簾、几帳、障子(今の襖《ふすま》)が想像されるが、ここでは几帳であろう。
・意味―几帳を隔てて語らった。
・解説―女同士の語らいなので、この「物越」とは仕切りとして置かれている几帳であろう。「物越」の「物」は「仕切り」であって何かは限定できないが、それが何かは、その場面に立ち会っている読み手が想像してゆく。ここでは几帳を間に立てて話し合っていると考えられる。命婦は末摘花の顔を直接は見ていない。すぐ前に「心ばへ容貌など、深きかたはえ知りはべらず」とあるからである。ただし、後述するが末摘花の姿を全く見ていないわけではない。

(2)「さらばさりぬべからむをりに、物越に聞こえたまはむほど」(1p257)
・主体—光源氏(男)
・対象—末摘花(女)
・仕切り—簾、几帳、障子が想像される。実際に起こったことではないので「物越」という言葉から聞き手(末摘花)がどんな仕切りかイメージすることになる。
・意味—几帳(など)越しにお話しなさる折。
・解説—命婦が嫌がる末摘花に源氏と会うよう説得している場面である。ここでは末摘花が源氏と会うのを嫌がっているので、見ることより聞くことに重点が置かれていて、ただ話を聞くだけなのだからと命婦が末摘花を説得する。つまり、聞くだけなのだから男と直接、見て会うことより重大ではないとなだめすかしているのである。見て会うということは男と女にとって決定的な意味を帯びやすい。

それゆえ、「物越に聞こえ」と「物越」に会うではともに男と女の間に「仕切り」があるとしても、ニュアンスはまるで違う。聞こうとする主体、見ようとする主体の集中する意識が違うのである。またそこから「物越」の「物」が何であるのか、視線を少しは通すものなのか、綻《ほころ》びがある「仕切り」なのか、隙間が開く機会のある「仕切り」なのか、視線を通さず錠まで下ろせるものなのかなどをおぼろげに暗示している。

(3)

「物越にて、聞こえたまはむこと、聞こしめせ」(1p259)

(聞こえたまはむこと)

・主体―光源氏(男)
・対象―末摘花(女)

(聞こしめせ)

・主体―末摘花(女)
・対象―光源氏(男)
・仕切り―ここまでは簾、几帳、障子(今の襖)が想像される。
・意味―源氏が障子や几帳など越しにお話し申されることを聞きなさい。
・解説―(2)と同じであるが、命婦はさらに、なお嫌がる末摘花に具体的な説得を行う。ここでも聞くことが強調されている。

(4)

「うちとけたる宵居のほど、やをら入りたまひて、格子のはさまより見たまひけり」(1p267)

・主体―光源氏(男)
・対象―末摘花(女)であるがそこにはいない。
・仕切り―格子

・意味―源氏は急に入ってきて格子の間から覗いた。
・解説―二回目の逢瀬のときであるが、突然入ってくるといっても相手がいる室に直接ではない。直接、相手に面しようとはしない。すぐ直面すると相手を驚かすからである。まず物越に見て、また垣間見て、場合により物越に聞いて、それから次の行動に移る。

この当時、ある家の姫君達は身の廻りのことをほとんど何もできない。側にいる、とくに女房達が、なにくれとなく世話をするのである。外廻りのことは男達がしたが、それは簀子から外のことであり、格子の外側であった。外からはそうした男達の視線も室内に入ってくる。

(イ) 光源氏の最初の訪れ

この末摘花の巻では、源氏と末摘花との間をとりもつのが大輔命婦《たいふのみょうぶ》である。彼女は末摘花の女房ではないが、源氏は彼女から女（末摘花）に関する情報を聞く。(1)の場面がその内容の一部である。

「十六夜の月」の折、源氏は末摘花の家を訪れ、命婦に「寝殿」にいる末摘花に、琴を弾くことを勧めてくるようにいう。源氏は別棟にいることになる。命婦は「寝殿に参りたれば、まだ格子もさながら、梅の香をかしきを見いだしてものしたまふ」(1p248)、つまり、末摘花のいる寝殿にいくと、末摘花が格子を上げたままにして梅を眺めているのを見たので、源氏に聴かせようとして琴をすすめる。

末摘花が琴を弾く。琴の音が開いた格子から流れ出て、別棟にいる源氏のところまで達するといったイメージが感じられる。「格子もさながら」と記すことには、庭の梅の色、香、琴の音と、目（視覚）と鼻（嗅覚）と耳（聴覚）とが一体となって空間的につながり拡がっている場面がイメージできる。つまり、光源氏と末摘花との最初の直接的遭遇、出会いは聴覚を介してなのである。

源氏は別の棟で聴いている。源氏は「ものや言ひ寄らましとおぼせど、うちつけにやおぼさむと、心はづかしくて、やすらひたまう」（1p249）と、末摘花に直接ものをいおうかと思うが「末摘花が（順序もふまず）あまりぶしつけなと思われるかもしれないと」（校注）、気がひけてためらう。それでも源氏は命婦に、末摘花に「なほ、さやうのけしき（源氏の気持ち）をほのめかせ」（1p249）といって帰る。

その帰りがけに、源氏は末摘花の寝殿を透垣の陰から覗いている頭《とう》の中将＊四を見つける。実は源氏のほうが女（末摘花）を訪れたのを見つけられたのである。男はこうして女を覗きにくる。それゆえ、女が「端」近く出ることはいさめられ、はしたないこととされた。だが「端」近くに出てくる女がこうした覗き見によって見られることが源氏物語には頻出する。そこから物語や事件が急転回する。

源氏と頭の中将は競って末摘花に文《ふみ》をやるが返事がない。ふつう、男と女は会う前にこうした文のやりとりがあるのが、順序を踏むことであった。しかし、源氏物語ではふつうの順序を踏まないことで物語が展開し、あるいは意外な方向に進んでゆく。源氏物語の物語《ストーリー》自体が読んでいて面白いのはそこからもきている。物語性、意外性がある。日本の物語は、源氏物語の「絵合《ゑあはせ》」の巻に「物語のいできはじめの祖《おや》なる竹取の翁《おきな》」とあるように、『竹取物語』（平安初期）をそのはじめとするが、日本の文字の文化に物語性を徹底してつくりだしたのが源氏物語である。日本は一千年頃、この巨大な文学を持ってしまったのだ。それから一千年過ぎた。

＊四　光源氏の正室、葵の上の兄である。子に柏木、玉鬘《たまかずら》、雲居雁《くもいのかり》がいる。

(ロ)　命婦《みょうぶ》（女房）の手引き

●空間的接近

源氏は再び命婦に手引きを頼む。命婦は、「あさましうものづつみしたまふ心にて」（1p257）と、「途方もなく内気なご気性」（校注）の末摘花の説得に向かうが、それが(2)の場面である。つまり、源氏からの文にさえ返事を出さない内気な末摘花に、「物越」に会う（対面）といわずに「物越に聞こえ」と、視覚でなく聴覚のほうを強調する。命婦も「いといたう色好める若人」（1p246）であったので、説得する手管、機微を心得ていた。露骨にではなく、本人の性格に合わせて納得しやすいように、断り切れないようにいうのである。

男女の出会いにおいて、聞く（聴覚）と見る（視覚）との間では決定的に違うことがこの場面では描かれている。

「八月二十余日」、命婦が会わせるべく源氏を末摘花の家に呼ぶ。命婦はとぼけて、源氏が来たことを手練手管の言い訳と共に末摘花に伝えるが、その切り札の言葉が(3)の場面、「物越にて、聞こえたまはむこと、聞こしめせ」(1p259)である。ここでも見ることより聞くことが強調され(「聞」が二回も繰り返されている)、見ることの露骨さが薄められるような表現がなされている。聞くだけの会い方ならよいでしょう、と説得しているのである。

恥ずかしがり屋の末摘花は、それでも「奥さまへゐざり入りたまふ」(1p259)と、「奥」に入ってしまうが、この「奥」は、それまで命婦と庇で会っており、そこからより「奥」、つまり母屋のなかに入っていったことが想像される。「入り」には「仕切り」を越える勢いが読みとれる。

この末摘花が「入りたまふさま」を見ている(表現している)主体は命婦であり、「奥」とは命婦側から見た末摘花が向かおうとしている方向、側である。「奥」は主体の位置から見ての方向性を伴っている。

この建物は荒れた屋敷、貧しい落ちぶれた貴族の家が想定されている。孫庇など複雑に庇が架かっていたとは思われない。この「奥」は母屋と関わっている可能性が強く、方向性が担わされている。「奥」ではなく「奥さまへ」はその方向性がさらに強められた表現であろう。こうした前後に、「奥」という言葉を説明する言葉や文章が挿入されると、「奥」という言葉の曖昧性が少しずつ意味性に転化してゆく。しかし、意味がいくらはっきりしてくるといっても、この「奥」という言葉はいつまでも漠然とした方向性に包み込まれている。

末摘花はとうとう少し譲る。一歩譲るということが物語ではどういう展開になるか、この巻ではその大きな差が描かれる。どこまでどう譲ってゆき、それがどう空間構成と関わっていくかであるが、命婦に答えて末摘花はとうとう、「ただ聞けとあらば、格子など鎖してはありなむ」と、「ただ聞いていよというなら格子などしめてならいいでしょう」（校注）と返事をする。末摘花自身も命婦の、「見る」、「会う」ではなく「聞く」というニュアンスにのせられている。

格子であるから簀子と庇の間《あいだ》の建具で、堅固であり、視線を通さず相互に相手が見えない。しかも「鎖して」、つまり錠をしているのだから源氏が入ってくることはない。格子は外敵からの防禦が考慮に入れられた強い閉鎖性をもつ戸である。だから末摘花としては、仕方がないので源氏の言葉だけでも聞いていようと譲ったのである。格子は庇側から「鎖《さ》す」のであるから庇は外部に対し閉鎖的になる。

すかさず命婦はそこへ追いうちの言葉をかける。簀子では源氏に対し失礼だ（「簀子などは便なうはべりなむ」）（1p259）といいつつ、さらに「（源氏は）むりやりな、浅はかなお気持など、けっして（起こされませんから）」（校注）と、「いとよく言いなして」、「二間の際なる障子、手づからいと強く鎖して、御茵《しとね》うち置き、ひきつくろう」（1p259）、つまり命婦は庇の間《ま》にさっさと源氏の座る場所を室礼えてしまう。

これが男女の手引きをする人間の能力である。この手引きの手練手管が男であろうと女であろうと源氏物語には執拗に描かれる。女の代表がこの命婦であれば、男の代表が惟光《これみつ》（光源氏の従者）である。

「一間」とは、庇の奥行きはふつう一間と考えられるから、これは母屋と庇の間の「仕切り」と考えてよい。それゆえ、末摘花は母屋に、源氏は庇にいて会うようしつらえられたのである。末摘花はここまで譲ってしまったのである。施錠は母屋側からなされるので母屋側の閉鎖性が表現されている。

ここで再び「物越に聞く」について考えてみなければならない。つまりこの「物越」を末摘花と命婦とでは各自各様に考えていたのである。おそらく命婦は最初は源氏を庇に入れ、障子越し、末摘花の出方によっては几帳越しに話をさせようと思っていたのであろう。一方、末摘花が許したのは、外部の簀子の上までであって、しかも「格子」越しであり、さらに戸を「鎖して」である。女は男を受け入れていない。同じ「物越に聞く」であるが、この二人のイメージの隔たりは大きい。この二つの場の源氏に対する扱いの差は甚だ大きいといわなければならない。そして結局、命婦の手配で母屋（末摘花）―庇（源氏）で「障子」を鎖して会うという結果になる。おそらく命婦も末摘花の「ただ聞けとあらば、格子など鎖してはありなむ」の「鎖して」という意見を採り入れて折衷したのであろう。このように当事者が言葉をそれぞれイメージし、また読者もこの「物越」の「物」とは何かとイメージしつつ読みすすめ、段々にその「物」が何であったかに気づいてゆく。

末摘花の男への拒否的な態度は、光源氏が初めての男であり、初めての出会いであったからである。源氏と契った後、「蓬生」の巻で再会するとき、同じ末摘花邸で几帳越しに会っている。源氏を夫と思っているからである。

(八) 光源氏の侵入

●「鎖」して会う

「障子」(今の襖、視線は通らない)という「仕切り」を介して会うのである。末摘花は、簀子という外部にいる男と格子を介して対するのも恥ずかしいのに、室内である庇(母屋ではないが)にまで入れて会うことを恥ずかしく思う。つまり初めての男をここまで(室内空間である庇にまで)入れてしまうことを恥じているのだが、世間知らずの末摘花は何か世間的な理由があって仕方がないことなのだろうとも思う。

源氏は「障子」を介して末摘花に話しかける。母屋にいる末摘花と庇にいる源氏が、「障子」という「仕切り」を介して相向かうのである。「障子」という内部空間においては几帳などとは違って閉鎖性のかなり強い「仕切り」が間にあるので、相手を見ることはできない。末摘花のいる気配と薫物《たきもの》の「香《にお》い」だけが源氏には感じられる。源氏は末摘花のいる方向を感じとっている。末摘花は恥ずかしくて返事が一言もできない。

つまり、この時点で源氏は末摘花の声すら聞いていない。気配を、この場合は「障子」を通して見ることはできないので聴覚、匂い(嗅覚)だけで末摘花を感じとろうとしている。この方向を感じとる感覚は平安時代の貴族には研ぎすまされており、それが「奥」や「端」などの言葉の使用にあたって背景としてあらわれてくる。

ところがこれでは我慢できない源氏は突然、「やをら押しあけて入りたまひにけり」(1p262)と勝手に「障子」（襖）を押し開けて母屋に入ってしまう。ここで疑問に思うのは、上述したように「鎖す」とあるのだから、「障子」は鎖されていたはずである。それを結局、源氏が開けてしまう。錠をかけていなかったのだろうか。いや、命婦は「二間の際なる障子、手づからいと強く鎖して、御茵うち置き、ひきつくろう」（1p259）と自分で強く施錠して室礼したのである。

「帚木《ははきぎ》」には、源氏が「かけがねをこころみに引きあげたまへれば、あなたよりは鎖さざりけり」（1p87）とあるから、当時の寝殿造の母屋廻りでも母屋側から施錠をすることができ、庇と閉鎖性において区分されていたと考えられる。後にいくつかの場面でも詳しく述べるが、母屋が内側から（母屋側から）施錠されることには、つまり母屋を囲いとれることには母屋の中心性があらわれる契機がある。

母屋廻りでも「鎖す」（母屋と庇の間《あいだ》を施錠して行き来できないよう母屋側から閉鎖する）、庇廻りでも「鎖す」（庇と簀子との間を施錠して行き来できないよう庇側から閉鎖する）と表現されていることには、閉鎖性、内部性においても母屋、庇、簀子には施錠によって各々のゾーニング（母屋・庇・簀子構成）がなされていることがうかがえる。母屋、庇、簀子それぞれの空間は質的に異なった空間であり、そうしつらえる「仕切り」という装置を様々に持っていたのだ。しかも「仕切り」が内部に向かって二重に施錠されることによって母屋の中心性が高まる。

「末摘花」の巻の「鎖す」にはストーリー展開に矛盾が生じている。後に「例六　総角の巻」の「〈鎖す〉—閉鎖性の強弱」のところでも述べるが、「障子」の構造は「鎖」してあっても、強度的には弱く、男が押し入れるほどのものであったと考えられる。そう考えるとこの「末摘花」の場面がはじめて理解できる。光源氏は「障子」の施錠を破り、末摘花のいる場に押し入ったのである。

「末摘花」の巻に戻ると、命婦も源氏がそこまでするとは予想しておらず、女房達もこれには驚き、あきれるが、末摘花は「ただ我にもあらず、はずかしくつつましきよりほかのことまたなければ」と、「ただ無我夢中で身の置き場もなくすくむような思いのほかは何も考えられない」(校注)ことになる。つまり源氏が段々と「仕切り」の一枚一枚を越えて入って女に近づいてゆくと女はそれにつれ恥ずかしがる度合が増してゆき、何も「仕切り」がなく同じ室内で向かい合うと恥ずかしさから身のすくむ、身の縮む思いを感じるまでにいきつく。そして初めて男と女が会う、直接、対面する。

これらの場面では、男が一枚一枚「仕切り」を越えてしだいに近づいてゆく様子が描かれているので、それに対する女の反応の変化によって、男が空間的に近づいてくることに対して、一枚の「仕切り」がいかに重要な役割を担わされているかが読みとれる。紫式部は空間をも的確に表現していたといえる。

この場面では、男と女の間に「仕切り」がなくなったところが行き着いた場である。ただし、それは直接、「奥」と表現されてはいない。「奥」は場所を特定するために使われることはまずない。方向性が強く担わされており、それが場と様々に関わるというあり方で表現される。

(二)　男と女が会うこと

●光と闇

だが、この源氏と末摘花の最初の逢瀬の場面でも、二人は同じ室内におり、その後、契りをかわしたにもかかわらず源氏は末摘花の顔を見ていない。そのあとの源氏の言葉に「手さぐりのたどたどしきに、あやしう心得ぬこともあるにや、見てしがな」(1p267) とあって、「手探りでははっきりしないので、変な、腑に落ちないこともあるのだろうか、(末摘花の様子を) この眼ではっきり確かめたいものだ」(校注) とあるので、この場が相手の顔が見えないほど暗かったことがわかる。

つまり、「仕切り」という男と女を隔てる物理的な室礼、調度、建築構成物もあるが、暗闇も隔て(仕切り)であったのだ。同じ室で互いに寄り添っていても、暗くて相手の顔が見えないのである。着物や髪、扇なども顔を隠すものとしてあるが、「手さぐり」という言葉にはその空間が暗闇であったことが示されている。

母屋は多くは庇に囲われており、直接、光は入らず昼でも暗い。横からの光は庇を通過してしか届いてこない。庇の格子や妻戸を閉じてしまえば昼でも外部からの光は入ってこない。母屋のある面に庇がない場合、庇のない側は母屋が直接、格子や妻戸でふさがれる。この場合、母屋に直接に光が入ることは、外からの視線も直接入ることになり、内部の人々は、さらにこうした開口部に対する室礼、開閉や施錠に気を使ったと考えられる。

さらに、母屋を囲む「障子」を閉めてしまえば真の闇である。日本建築においては闇すらが「仕切り」であったのだ。正確にいえば、「仕切り」もまた、闇を抱えていたのだ。仕切れば仕切るほどその奥に闇が深まる。日本の建築空間においてその中心が闇と切り離しがたく結びついているように思えるのはこうしたところからきている。

作者・紫式部は、光源氏を簀子から庇に入れ、末摘花のいる母屋にまで入れるが、そこでも末摘花の実体を見せようとしない。紫式部は闇を介してさらに「奥」をつくりだす。

すなわち、二回目の逢瀬の朝、源氏は初めて末摘花の赤くて、長い「御鼻」を見て驚く。それは源氏が「格子を手づからあげたまひて」(1p269)、つまり庇と簀子との間《あいだ》の格子をあげて光を入れ前栽の雪景色を見るのだが、そこに「ゐざり出た」(にじりでられた)(1p270)末摘花の姿、顔を初めて見て知るのである。二人は庇の間《ま》の、簀子とを仕切る格子のすぐ内側にいる。源氏は格子を開けることによって闇への扉を開け、光を入れたのである。

末摘花は闇の空間から光の空間に「ゐざり出」てきたのである。源氏が引き入れた光が周囲の空間を決定している場景があらわれている。源氏は末摘花の醜い象のように長い、異様な赤い鼻を見て驚く。闇と光の空間の極性の対比が、それまで「仕切り」や闇に隠されていた末摘花の顔を通してドラマチックに表現される。末摘花の巻は闇のなかに終わらず、光源氏が自ら闇を切り開き、最後に光の空間へと舞台が引き出され、締め括るところにこの巻の劇的さ、紫式部による構成の意図の見事さがある。

知られていない末摘花の顔という謎が寝殿造の空間を解く鍵であったのだ。紫式部はこの巻の最後に末摘花の顔を明かすことによって、母屋―庇―簀子―庭（雪）、闇―光という寝殿造の空間構成をも解き明かしたのである。

ここまでくれば、「空間的接近」の項で記したように、「末摘花」の巻で、なぜはじめから聴覚や「聞く」ことが強調されていたかの理由がはっきりとする。それは末摘花の顔という謎を解くのが視覚であったからだ。最後に見ることの極性を呈示することで紫式部は劇的に謎解きをしたのである。それは空間の謎をも解き明かしていた。

紫式部は日本の「闇」や「奥」を曖昧のままにしていた作家ではなかった。「闇」や「奥」をかかえる寝殿造という空間を、光や「端」（外部の光に近いほう）を様々に表現、導入することで解明していたのだ。そうした意味で源氏物語は明度の高い文学といえる。

●空間のグレード（空間的階層差）

ここには、この時代の住まいである寝殿造における母屋・庇・簀子構成が、あるいは光源氏（男）が外部から建物内にアプローチしてゆく過程では、簀子↓庇↓母屋と建築的空間が推移してゆくことが明確に描かれている。女（末摘花）の家に来た男（光源氏）への扱い方、会い方、招き入れられる場所に簀子、庇、母屋とグレードがあることが理解できる。女（末摘花）にとっては、「端近」に出てゆくのは母屋↓庇↓簀子と建築空間が推移してゆくことである。

源氏は、最初は末摘花のいる寝殿とは別の棟で琴の音だけを聴き、末摘花と会いたいという気持ちの高まりにつれ、次には、相手の見えない「仕切り」（格子）を介してだが、簀子（源氏）―

廂（末摘花）で会わされそうになる。そして、命婦の口利きで「障子」という相手を見ることのできない「仕切り」を介してだが、廂（源氏）―母屋（末摘花）で会うことができる。さらに、自分の意志で廂から母屋に踏み込み、ここで初めて「仕切り」なしに女と同室する。しかしそこは闇の空間であり、闇という仕切りに包まれていた。

ここには、源氏の位置の移動に伴って簀子→廂→母屋という移動があり、それが奥に向かってゆくことに同調されている。源氏に対する女側の扱いのグレードが上がってゆくと考えてよい。源氏の側から末摘花を求めて奥に進むことが、空間的（簀子→廂→母屋）にも奥方向を示すと考えられる。

ただしこの場面では、空間と関わる「奥」が直接、言葉で表現されているのは、(3)の命婦が末摘花を説得する場面で、源氏（男）と会うようにとの説得に、末摘花が恥ずかしがって「奥さまへゐざり入りたまふ」（1p259）という場面だけである。すでに記したように、この「奥」は母屋と関わっているとしても方向性が強く担わされている。しかしこの「奥」は末摘花の逃げ込んだ最も安らぐ場所であった。そこに光源氏を押し入れさせる。紫式部は「奥」という言葉をほとんど使わず空間の深度を描くことができたのだ。

●顔を知られぬ姫君たち

「末摘花」の巻で不思議なことは、源氏に末摘花を会わせようとする女房・命婦が末摘花の容貌を知らないことである。命婦がはじめに源氏に末摘花について話すときは「心ばへ容貌など、深きかたはえ知りはべらず」（1p246）であり、「さべき宵など、物越にてぞ、かたらひはべる」と、会っても物越にである。その後、手引きするとき会うことになるが、後に当然、源氏に知れてしまう末摘花の容貌を知っていたら、命婦はときめく光源氏に彼女を紹介しただろうか。そのことは、命婦も常に「物越」に末摘花と会っており、几帳や簾越しに見ていたことを意味している。

するとニ人の場面も、末摘花は母屋に命婦は庇に、ということが考えられる。女同士であるから、「障子」を介してまで隠す必要はないので、几帳越しと考えられる。しかし「奥さまへゐざり入りたまふ」とあるので、この「入る」には庇から「仕切り」を越えて母屋に入った様子があらわれている。したがってここは庇の場での対面と考えたほうがわかりやすい。相手が女（命婦）なので気を許して庇へ出て会ったのだろう。庇のなかでの対面であるとすると几帳を介して対面し、末摘花は話を聞いて「奥」、つまり母屋のほうへにじり入ったと想像できる。こう考えると場面の空間的状況がはっきりとする。そして、後にでてくる「ゐざり出で」の「出で」との対比に、紫式部の空間にねじ伏せられない言葉の表現力の強さ、自由さを感じる。紫式部は母屋や庇という言葉を直接、表現しないで空間、場を語っていたのだ。

末摘花が「奥さまへゐざり入りたまふ」のを見ているのは命婦であって、それを述べているのだから、この「奥」は命婦から見て向こう側（奥側）である。その方向は母屋側と重なっていると考えられる。しかし、方向は重なっても「奥」が母屋そのものなのではない。方向性と考えたほうが表現として適している。

「入る」とあるので庇から母屋に入ったと考えられると記したが、すると二回目の逢瀬の朝

（後朝《きぬぎぬ》）＊五、源氏の誘いで末摘花が「ゐざり出で」たのは母屋から庇へ「出で」たと考えてよい。「ゐざり入り」と「ゐざり出で」が対比的に使われている。この場合は、どこから「入り」なのか、どこへ「出で」なのかを、母屋と庇の使い分けとすると、場面の状況がはっきりとする。

命婦が末摘花の顔を直接、見ていないと述べたが、全く彼女の様子、容貌がわからないわけではない。源氏の書いた「なつかしき色ともなしに何にこのすゑつむ花を袖に触れけむ　色濃き花と見しかども」という歌を見たとき、思い当たり、「末摘花（紅花）」は末摘花の鼻のことではないかと思う。言われて思い当たるのは命婦が末摘花と几帳越しに会っており、几帳の脇や綻《ほころ》びから末摘花を透き見ているからである。はっきりとは見えないが、示唆的に言われればなんとなく察することができる、「物越」でも几帳越しとはそうした見え方なのである。命婦は末摘花の透影《すきかげ》を見ていたのである。古風な末摘花は男と会うときにも、女と会うときにも貴族の娘の振る舞い方を守っていたのである。

男に対し女の顔は最初は知られていない。女の透影を垣間見たときでさえ、男は女の顔に執着しているようには見えない。末摘花の例に見るように、同衾した後でさえ、男（光源氏）に女の顔がわからないことまである。当時の男が女を「垣間見る」とはそうした状況であった。むしろ男達が見、感じようとしていたのは品《しな》（身分）、立居振舞、着ている物、薫物、和歌にあらわれる性格、その技巧としての上手・下手、知識、文字の巧拙などであった。

立居振舞といえば「空蝉」の巻で、空蝉のことを「顔などは、さし向かひたらむ人などにも、わざと見ゆまじうもてなしなり」と、源氏は観察する。空蝉が、向き合っている軒端荻《のきばのおぎ》という女性にさえ、気を使って自分の姿、形を見えないようにしているのを見て興を覚えたのである。こうした立居振舞を男は見ていた。それを女としての価値、女性らしさ、男が会うべき女性と考えたのである。向きからいって源氏はここで空蝉の顔を見ていない。顔がストレートに見えるのは軒端荻のほうである。源氏が興を覚えるのは顔ではない。

このすぐ後、源氏は空蝉の横顔を見ることになるのだが、それが「目すこし腫《は》れたるここちして、鼻などもあざやかなるところなうねびれて、にほはしきところも見えず、言ひ立つれば、わろきによれる容貌（かたち）」と、まぶたが少し腫れ、鼻筋などもすっきり通っていず老けた感じで、生き生きと美しいところも見えない、と散々である。さらにはっきりいえば、みっともないほうに近いと、こうまでいい切っている。

にもかかわらず、向かいにいる「をかしげなる」（美しい）軒端荻よりも空蝉に惹かれてゆく。それは「いといたうもてつけて、このまされる人（軒端荻）よりは心あらむと、目とどめつべきさましたり」という、つまり空蝉の隙のない身のこなしが、誰をも納得させてしまう。こうした、顔がどうであろうと、末摘花ほど奇怪でなければ、「わろきによれる容貌」（むしろ悪い顔立ち）であっても、「もてつける」（態度や身なりをとり繕う）こと、「心あらむ」（心遣いやたしなみ）ことで光源氏ほどの人を惹きつけてしまう。むしろ顔そのものが美しいことよりこちらのことのほうが重視されたのである。源氏にとってとくに顔への執着はない。

男が女を知ることが女が着ている着物、着方、立居振舞を知ることでもあったことが、儀式のとき女房が衣の袖や褄を簾の下から外へ出す「内出《うちいだし》」「押出《おしいだし》」を見てその「襲の色目」（いわゆる十二単）からどの女性かわかった理由である。

源氏物語では女の名前も家族の名前を継いでいるというより、自分の住む場（桐壺、明石など）によって、あるいは詠った和歌にでてきた言葉（空蝉など）などから、後の人々によって名づけられたりする。文学であるがために、それは源氏物語に、もう一つの空間性を与えることになる。官位や官職による名が一般的ななかで、源氏物語にはこうした物語の内容、展開に合わせて名前がつけられることによって、人の名が読者のイメージを様々に拡げ、かきたててゆく。

紫式部という名前すら、一般的にはありえない名前といわれる。本名ではない紫式部とは、式部丞《しきぶのじょう》・藤原為時の娘であったので、藤式部と呼ばれるべきであるという。紫式部の名は、源氏物語という当時もっとも読まれた物語のなかに、ヒロイン・紫の上をつくりあげたことによるものであろう。『紫式部日記』に藤原公任《きんとう》が「あなかしこのわたりにわかむらさきやさぶらふ」と紫式部に呼びかけたことは、つまり源氏物語の作者であることによって、そして「若紫」というヒロインをつくりあげ、それにより、彼女が有名となったことを示している。他人から「紫式部」と呼ばれ、名づけられたのである。紫式部という名前までが物語性のなかに引き入れられている。

藤原公任とは漢詩も和歌も楽器も即興でこなした人物である。当時、超一級の知識人であり、エンターテイナーである。歌論（『新撰髄脳』）、儀式書（『北山抄《ほくざんしょう》』）も書いており、「和漢朗詠集」をも編んでいる。歴史物語『大鏡』*六に「三船《さんせん》の誉《ほまれ》」という話がある。藤原道長が大井川（上流が保津川、下流が桂川）に船遊びをしたときの話である。道長が漢詩の船、音楽の船、和歌の船をしつらえ、大納言・藤原公任に「かの大納言、いずれの船にか乗らるべき」と問う。結局、和歌の船に乗って歌を詠うのだが、公任は漢詩の船に乗ったほうがもっと名声が上がったろうにと思う。そして道長にどの船に乗るかと問われたことに得意となる。つまり、公任はどの船に乗っても即興で漢詩も、音楽も、和歌もできたということだ。そうした貴族達に平安時代の文化は支えられていた。この藤原公任が紫式部に呼びかけたのである。

このように、作者の名前すらが文学的なのである。後世、源氏物語にあらわれる女達の名が官位や官職によって呼ばれることが少ないのは、物語の展開のなかで一人一人の名前がイメージされ、考案され、つくられていった結果であろう。

「襲の色目」が重視され、女の名前が歌のなかの言葉から選ばれ、呼ばれてゆくことを見ていると、ますます一人一人の女の顔は引目鉤鼻の背後に隠れてしまう。「襲の色目」や女の名前のほうがはるかにその人を語っている。「襲の色目」はただ着物を指しているのではない。どういう状況(空間、時間、場、季節、相手など)で、どういう着物をどのように着こなしているか、立居振舞、身分と合っているかなど、あらゆることが、自分の身につけているものと関わってくる。そしてそれを見分ける貴族達の眼があった。「襲の色目」とは自らを表現することであった。

＊五　「後朝《きぬぎぬ》」とは男女が契った翌朝のことを指す。翌朝、男が女の家から帰ることから男女の別れをも指す。
＊六　平安末期にできたと思われる歴史物語で作者は未詳である。藤原氏、とくに道長の栄華を、批判も含めて描いている。

㈭「奥」へ「入る」、「端」へ「出る」

●「入る」と「出る」の対比

「奥」は、先の命婦が始めに末摘花を説得する場面で「奥さまへゐざり入りたまふ」（1p259）という言葉があり、かつ、同じ主体である末摘花が「ゐざり出で」と表出され、「入り」と「出で」とが対比的に表現されていること、さらに、源氏が末摘花のいる場所に押し入るときにも「やをら押しあけて入りたまひにけり」（1p262）と、ここにも「入り」と対比的に使われていることから、源氏は母屋に入ったと考えられる。

この巻では、「奥」という言葉の使い方、表現が寝殿造の母屋・庇・簀子構成に同調していると考えても不自然ではない。寝殿造の空間構成、その各構成部分を使った人の動きの重なりが見事に描かれている。

源氏の側からは末摘花という中心に向かって行くにあたって、空間的にはその中心にたどり着くまでの「仕切り」のあり方、それを越えてゆくことが寝殿造の母屋・庇・簀子構成と重ねて描かれている。この巻の物語の中心話題とは光源氏の関心についてである。ここでは末摘花だが、女性の名が巻名にあらわれている巻では、その女性が話題の中心となっている。

源氏は簀子→庇→母屋という寝殿造の空間構成に沿って動いてゆくため、また女側（命婦、末摘花）からの源氏の扱い方の位置の動きを含めて、ここには空間的中心性と物語の中心性とが重なって描かれている。

もちろん、母屋といっても母屋のなかでの求心性が描かれているわけではない。源氏物語では中心性も空間のシンメトリーにおける中心性を示しているのではない。この「末摘花」の巻でも母屋全体が中心的に暗示志向されているだけである。

寝殿造は母屋という空間単位を中心としてそれを庇が囲い、取り付くかたちで成立している(図6)。平安時代あらわれたといわれる間面記法《けんめんきほう》の出現[*七]もこうした空間の扱いを暗示していると想像できる。

母屋・庇・簀子という平面構成ゆえに、その平面構成に、厳密ではないが規制され、また一方で、空間の中心性を利用して物語の中心性と重ねて表現することが可能だが、これまで説明してきたように末摘花の家が表現される場面はそれが強くあらわれている例と考えられる。狭い家であり、末摘花が古風な女性で、古風な生活のままに暮らし、外界と接触の少ない家であるがため、そのことが典型的にあらわれている。

末摘花(女)の側からは普段生活している母屋空間、そこから「仕切り」一枚一枚を越えて出て行くこと、「端」に近づくことが、段々、社会(この場合は男との関係)に近づいていくことであり、女にとって男に見られることは、否応もなく、そうした男・女の関係、社会に入ってゆく機会が増えてゆくことであった。

女にとっては「端」に近づくことが問題とされる。たとえば、「入る」ことと「出る」ことが比較、対象される。先述した「末摘花」の巻の「奥さまへゐざり入りたまふ」と二回目の後朝の場面で、源氏が「端」[*八]である格子(庇と簀子の間《あいだ》の仕切り)のところに出てきて、格子を自ら上げて雪を見ているのだが、その「端」に末摘花が「ゐざり出でたまへり」がそれである。ここでは「入る」にも「出る」にも「奥」―「端」関係の方向性が示されている。女が「奥」へ「入る」ことと、「端」近くに「出る」こととが比較できる。このように「奥」の前後の意味や言葉に「端」(庇、外部方向)が対比的に加えられると、「奥」の意味するものに母屋的意味が、その影響が加わる場合がある。

女が「奥」へ「入る」ことは、男と会うときを別にすれば普段の生活(日常性)に戻ること、戻りたいことのあらわれであり、女が「端」近くに「出る」ときとは、うっかりしていたとき、庭を含めた外の何かを見たいとき、「仕切り」があるので外から内は見られないだろうと油断しているとき、格子が下りているときなどであるが、ここでは末摘花は源氏に庭の景色を見るよう誘われたのである。そこではじめて(二回目の逢瀬の後である)、源氏は末摘花の顔を光のもとで見、その鼻の長いこと、赤いことを知る。

●簀子↓庇↓母屋は光↓闇、母屋↓庇↓簀子は闇↓光

つまり、簀子↓庇↓母屋は空間構成であるが、母屋・庇内は格子を閉じてしまえば闇の空間でもある。灯がなければ誰かはわからない。灯があってもそう明るいわけではない。しかも、女は自分のほうには光が直接当たらないようにと心がけている。寝殿造では「仕切り」が重なって奥を形成するばかりでなく、「仕切り」の重なりが闇、暗さのグレードを深化させ、また「仕切り」の境をおぼろげにさせてしまう。光と闇においても、横からの光が簀子↓庇↓母屋と進むにつれ、

暗さのグラデーションが闇に近づくのである。

昼であっても母屋部分は暗い。しかも光の入る順序である簀子↓庇↓母屋に至る間に簾、几帳、「障子」、その他の「仕切り」が様々に重なっており、その「仕切り」一枚一枚が光を遮る。母屋にまでたどり着ける光は少ないため、母屋は昼から暗い。

源氏物語における寝殿造では、「仕切り」の重なりが奥行きを深めるだけでなく、光↓闇のグラデーションが奥行きを形成する。「仕切り」の重なりによって、奥に行けば行くほど上げた格子から通ってきた光を遮る度合が強くなる。そのことを、この「末摘花」の巻は、光源氏が二回目の逢瀬の朝まで末摘花の顔に気づかなかったこと、その物語性を通じてドラマチックに描いている。

しかも、紫式部はそれを夜明けの朝の、雪明かりのなかに見せる。「雪の光」、つまり夜明けの光が雪に反射し、その光が源氏を照らし寝殿造の簀子から庇へと入ってゆき、奥から「ゐざり出てきた末摘花の姿をしだいに露《あら》わにする。寝殿造という空間を知り尽くし、心憎いばかりに、物語の舞台装置に仕立て上げ、表現している。二回目の逢瀬の後朝、末摘花は母屋から庇の空間に出ることによって闇の空間から光の空間へと出てきたのである。

「後朝《きぬぎぬ》」という言葉は「衣衣《きぬぎぬ》」からきており、衣という字が二つ並ぶ。文字から感受できるように、脱いだ男女の重ねられた衣がイメージされており、男と女が、翌朝、再びその衣を着て別れるという意味がある。衣の重ね一枚一枚が奥行きを形成している。名付けられた文字や言葉の一つ一つまでが生々しく息づいている。

源氏物語では男にとっては女に近づくことが目的にされるが、それは女に会うことが物語の中心的話題となっているからである。男にとっては女が、女のいる場が「奥」という方向性と関わっている。

女にとっては「端」近く出るほうが問題にされる。もっと正確にいえば、「端」に近づくこと、「端」に近づくことを避けることが問題にされている。「端」に近づけば近づくほど男の眼に触れやすく、また男は外から、「端」からなかにやってくるからである。つまり、男にとっては「奥」が問題にされているとは、末摘花の巻では光源氏の簀子→庇→母屋という方向性が問題にされていることであり、女にとっては「端」近く出ることが問題にされているとは、母屋→庇→簀子という方向性が問題にされていることである。ここでは、男と女が問題にする方向性が違って扱われている。女にとっての「奥」は「末摘花」の巻では女の日常性と重なっているように描かれている。非日常的なことが起これば「奥」に逃げ込むのである。

男と女の方向性、簀子→庇→母屋、母屋→庇→簀子は室内空間の光と闇の方向性と重なっており、光と闇の方向性は寝殿造の平面的中心である母屋から四方の外部に向かっては闇→光の方向性、四方の外部（簀子）から平面的中心である母屋へ向かっては届いてゆく光→闇の方向性となる。

しかし源氏物語のすべての巻のなかに、こうした典型が必ずしもはっきりとあらわれてくるわけではない。「末摘花」の巻（「蓬生」の巻を含めて）の例がかなりわかりやすいということは、比較すればその他の源氏物語の巻に、「奥」や中心が必ずしも重なっていないし明快にも述べられていない、ということである。その理由は源氏物語は物語を描いているのであって空間を描くのが目的ではないこと、またそれは儀式を描いているわけではなく、物語性に富んでいるとはいえ貴族の日常生活、私生活を描いているからだ。儀式のような形式的枠組みは少ない。

しかし、末摘花の巻にあらわれるような典型的な場面が表現されている以上、当時の知性には、光と闇が徹底して意識されていたのである。

日本語の闇という言葉にはその equivalent な英語が見あたらない。英語で dark は段階的な暗さを示し、闇は、いってみれば、その最も暗いというグレードとしてとらえられる。その最も暗いのが pitch dark であろうか。日本語の闇は暗さを増していったとき、最も暗いという意味もあるが、暗いことと闇とは次元が変わる。文字自体が異なっている。さらに日本語の闇には最も暗いという物理的な現象だけではなく、様々な暗喩が込められる。

＊七　「間面記法」とは、母屋・庇構成から成り立つ日本建築の規模形式を明確に表現するもので、建物の平面を示す記法（平面表記法）であり、建物の大きさを表示するものであった。「間」は正面側から見た母屋の間口を表示し、「面」はその建物の母屋に庇が付いている側面がいくつあるかを示している。たとえば、五間四面とは間口が五間の母屋に四つの面（東・西・南・北）に庇がついている建物のことを表す（図5）。

＊八　ただしここでは、「端」という言葉が使われていない。すでに、「格子手づからあげたまひて、前の前栽《せんざい》の雪を見たまふ」とあって、源氏が「端」、庇に出てきていることが述べられているからである。繰り返せば、文学は場を描くことが目的なのではない。同じ言葉の重なり、表現の重複は文学を弱めてしまう。

(へ) 末摘花邸

●寝殿造の寝殿

「末摘花」の巻で、母屋・庇・簀子構成、「奥」―「端」の関係がかなりはっきりあらわれている理由は、家が貴族の家としては貧しく小さいこと、主人が末摘花という女主人一人であること（この屋敷を親である常陸の宮から伝領したのである）、その女主人一人を中心にして寝殿での生活がなされていること、末摘花が古風な女性で昔からの生活方法を守って生きていることなどからである。「末摘花」の巻には「寝殿」という言葉が二回でてくる。共に末摘花が住んでいる場を示している。対ではない。「末摘花」の巻から大分、時を経た、つまり源氏が須磨、明石に三年ほどわび住まいしたあと、京に帰ってから久々に立ち寄る「蓬生」の巻でも、相変わらず末摘花はこの「寝殿」に住んでいる。彼女がこの屋敷の主人なのであり、ひたすら源氏を待っていた。

この元・常陸の宮邸はシンプルな構成であった。「荒れたるさまは劣らざめるを、ほどの狭う」(1p269）とあるように、家の構えが狭いのである。また「荒れたるさまは劣らざめる」といっているのは、光源氏が夕顔を物の怪《け》に取り憑かれて亡くしてしまった「なにがしの院」に近いほど荒れているといっているのである。荒れ果てていて、しかも狭い。

「なにがしの院」では源氏と夕顔は「西の対」に「御座」をしつらえられたのであるから、もっと奥に寝殿があることが暗示されている。つまり奥深く広い屋敷であった。紫式部はその空間的奥深さによって恐ろしさの底をも深め表現していたのである。

「蓬生」の巻での末摘花の家の平面は、外門がどうにかあり、「末摘花」の巻ではあった「いといたうゆがみよろぼひ」（1p272）た中門はなくなっている。荒れた塀に囲まれ、まず末摘花がいつもいる寝殿があり、「西の妻戸のあきたるより、さはるべき渡殿だつ屋もなく、軒のつまも残りなければ、いとはなやかにさし入りたれば」（3p79）（「蓬生」）とあるので西対はなかった。

東対については、「東の妻戸おしあけたれば、向ひたる廊の、上もなくあばれたれば」（1p280）（「末摘花」）とあるので、東対はあったとしても、その渡廊の屋根は壊れて、すでになかった。光源氏が最初にこの家を訪れたとき、源氏が末摘花の琴を寝殿から離れた場所から聞く場面があるのでこうした別棟があったと考えられる。

末摘花の父、常陸の宮時代には立派であったろう屋敷が寂れ、朽ち、壊れてゆく様が見える。軒や簀子が朽ち、寝殿の庇すら雨漏りがあるくらいである。つまり建物が朽ちて狭くなってゆく様が見てとれる。この屋敷で末摘花は貧しい、誰（男）からも訪ねられることのない生活、昔通りの生活、つまり古風な生活をしていた。生活はシンプルであった。こうした狭い平面構成、寝殿一つがメインの空間であるなかでは、男と女の動きもその寝殿の母屋・庇・簀子構成に強く影響を受けていると考えられる。

「蓬生」の巻でも、「昔に変らぬ御しつらひのさまなど」（3p79）とあるので、前に「寝殿」とあったが、ここでも末摘花は相も変わらずこの屋敷の「寝殿」、つまり寝殿造における中心の建物に住んでいたのである。「末摘花」の巻から三年ほどのち、源氏はたまたま、花散里《はなちるさと》を訪れる途中、源氏一人をひたすら待ち続ける末摘花の住む、荒れ果てた家、「蓬生」を訪れる。

あの赤い鼻を見た後朝以来、またこの先も、源氏は再び末摘花と契ることはない。しかし、源氏はこの古風で気だての優しい末摘花の住む元・常陸の宮邸を一時的に修理し、後には二条の東の院をつくって末摘花を住まわせる。修理するだけでは到底間に合わなかったとも、狭すぎたとも考えられる。源氏という後見による二条の東の院の末摘花の住む寝殿造は元・常陸の宮邸より大きな家と想像できる。

建築の平面をあらわすのに、平面記法に間面記法が使用されたのは、足立康博士によれば平安時代からである。[*九] つまり「奈良時代に於ける平面記法は、桁行梁間の丈尺を以つてするのがふつうである」[*九]とされ、平安時代には「建築平面を示すに母屋と庇とを以つてし〈何間在何面庇〉或はこれを省略して〈何間何面〉として表してゐたのである」[*九]。「間」は母屋の間口をあらわし、「面」はその母屋に取り付いた庇の数をあらわすものであった。紫式部は平安時代の中頃の人であるから、貴族の間で寝殿造が盛んに建てられていた時代である。貴族達の頭に、この間面記法がもたらす建築構成（母屋・庇構成）が意識されていたと想像できる。それゆえ、源氏物語のなかにはこうした空間構成があらわれる。とくに、この「末摘花」の巻、「蓬生」の巻ではそれがかなりわかりやすい。

「紅梅《こうばい》」の巻に「七間の寝殿、広く大きに造りて、南面に、大納言殿、大君《おおいぎみ》、西に中の君、東に宮の御方と住ませたてまつりたまへり」(6p182)と、「七間の寝殿」とあり、かつ、「広く大きに造りて」とあるので、「七間の寝殿」とは母屋が間口七間であり、「広く大きに」なのだから四面庇が付いていたと考えられる。間面記法でいう「七間四面」の寝殿と考えられる。つまり、「七間の寝殿」と記すことには、間口「七間」という母屋が強く意識され、七間という間口も大きいと考えられていたのではなかろうか。

「寝殿は五間四面が……常法[*一〇]」という考えがある。一方、『家屋雑考』には「寝殿の造り方は、大抵七間四面を常法とす」、「七間四面は、中古以来の通例の間数と見えたり」とされているが、「或は五間、或は十二間などもなきにあらず」とも記されている。しかし、『家屋雑考』の著者・沢田名垂《なたり》は間面記法を正しく理解していない。『家屋雑考』のなかの寝殿の平面が五間四面の平面図であり、掲げられた寝殿造全体の透視図（図3）にしても寝殿は五間四面に描かれている。しかも、「さてその七間四面の内、五間四面は本屋にて、其外一間通りは廂なり。其外簀子あり。此五間四面の本屋をして母屋といふ」と記し、これでは間面記法でいう五間四面が当時の「常法」であったことになる。彼は「七間」で建物の間口全体を指していたのである。つまりこの時代、江戸時代にはすでに、間面記法という平安時代からの空間を把握する方法は忘れ去られていたことになる。

『家屋雑考』は江戸時代末に書かれたものであるから、平安時代に「五間四面」が「常法」であったかどうかは確実ではない。もしそうであって、「紅梅」の巻の「七間の寝殿」が間面記法に則《のっと》っているとすると、「広く大きに」という紫式部の表現は的確なことになる。[*一一]

紫式部は明らかに母屋・庇・簀子構成的空間意識を持っていたと思われるし、間面記法的空間把握をしていた可能性が考えられる。こうした空間意識のもと源氏物語が書かれていたことが想像できる。

*九　足立康「中古における建築平面の記法」『考古学雑誌』二三ノ八　一九三三年
*一〇　関野克『日本住宅小史』一九四二年　相模書房
*一一　『家屋雑考』が書かれたのは、平安時代が終わって六五〇年後のことである（一八四二年）。

このように末摘花の巻には、五つのキーワード（奥、端、鎖《さ》す、光と闇、五感）すべてが取り上げられ巧みに表現されている。

以下には、別の巻の特徴的な例を取り上げ、そこでも空間と関わったキーワードに関する意味や構造を読み解いてゆく。

例二　夕顔の巻（その1）

●「奥」と「端」の対比

「奥」と「端」がかなりはっきりと対比的に述べられている例もある。夕顔の巻に「奥のかたは暗うものむつかしと、女（夕顔）は思ひたれば、端の簾を上げて添ひ臥したまへり」（1p147）とある。前半の主語は夕顔（源氏が説明しているかたち）、後半の主語は源氏である。この家「なにがしの院」に源氏が夕顔を連れ込むのであるが、荒廃しており物の怪《け》でもいそうな屋敷である。すぐ後で夕顔はこの家にいる物の怪に襲われ死んでしまう。

夕顔にとって、この「奥」は恐いものの象徴*一二であるから、漠然とした「奥」を表しているといえるが、後に「端」という言葉がでてくることによって、「奥」の方向性が枠を狭め母屋的方向性があらわれてくる。

夕顔にとっては、この「なにがしの院」の母屋（西の対）は知らない場所である。普段、自分が住んでいる寝殿の母屋とは違う。自分の家の母屋は女にとって心の安らぐ場所である。女は普段、できるだけ庇に出ず、母屋のなかにいようとする。

夕顔はこの家の「奥」を気味悪く感じる。それゆえ、末摘花のように「奥さまへゐざり入りたまふ」ことはない。ここでは、暗がりは夕顔にとって恐怖の対象である。普段、住む自分の家の暗がりは男に対して身を隠すひとつの「仕切り」となったが、源氏と一緒にいても、この奥の暗闇は夕顔には恐怖である。そこで、外光が入ってくる「端」近く、つまり庇の間の、庇と簀子のあいだの簾の近くで休むのである。「奥」と「端」が対比的に語られている。それは闇と光との対比でもある。

母屋方向が「奥」であり、簾のかかっている簀子と庇の間《あいだ》、つまり外に近い場所が「端」である。「奥」は主体の位置からの方向性であり、「端」は主体の位置とはかかわらず外に近い場といった意味が見てとれる。

ここでは、「奥」は闇と恐怖と結びつき、庇は光と物の見える安らぎと結びついている。しかし日常的には普段、自分の家では女にとって「奥」は自分がこもっている安らぎの方向であり、「端」は男と出会うこと、はしたないことと結びついた方向である。

簾を上げるのは、ここでは「奥」の暗闇が恐いからで、外光を入れるためである。ふつう、男と女が添い寝する場所は母屋となる場合が多いが、この夕顔の場面では庇である。ふつうではこうしたことはまずない。「端近」に出ることであり、光も入ってくるし、人目もあるがここは誰もいない廃院である。しかし、何よりも夕顔には「奥」が暗く、恐怖の対象であったのである。ものが見えないこと、輪郭がはっきりしないことが恐怖と結びついている。前の末摘花の例とは状況が全く異なっている。たとえ同じ暗さであっても、恐怖を感じる暗さも、安らぎを覚える暗さもある。

ここでは簾を上げることで光が入ってくる。物や人の姿、形がはっきりと見える。そして二人は「夕ばえを見かわして」、夕明りに浮かぶお互いの顔を見る。ここでも庇↓母屋が光↓闇と同調して描かれている。

源氏と夕顔は、夕空やお互いの顔を眺めているのであって、見ている方向は母屋とは反対方向、あるいは別方向である。ここでの「奥」とは、建築空間的な「奥」、つまり母屋・庇構成をイメージしており、また、外光が届きにくい「奥」、闇の方向、恐い方向、物や人の形がはっきりと見えない方向と考えられる。このように「奥」と「端」が対比的に使われ、「端」が庇と強く関わって表現されているとき「奥」には「端」に対する母屋的意味が強くなる場合がある。

「末摘花」の巻とこの「夕顔」の巻とを見るだけでも、「奥」や「端」がそのまま母屋と庇に簡単に結びつくのではないということが理解できる。女の安らぐ方向が状況によって変化する。

しかし二人はこの外光を塞いでしまう。「格子疾《と》くおろしたまひて、大殿油《おほとなぶら》参らせて」と、格子をおろして闇の世界の中で灯りに頼るのである。燈火は遠く、高くは届かない。「火はほのかにまたたきて、母屋の際《きは》に立てたる屏風の上《かみ》、ここかしこの隅々《くまぐま》しくおぼえたまふに」と、天井どころか屏風の上にすら届かず空間が暗く黒々と感じられる。これは外光を絶って物の怪のいる対の空間に自分たちを閉じこめてしまうことを意味する。格子をおろし光を絶ち外に対して閉鎖することは、内部空間を一体的に囲いとることであった。奥の物の怪が母屋、庇を越えて内部空間に跳梁する。夕顔は息絶える。

紫式部は寝殿造の母屋・庇・簀子構成という空間特性を熟知し駆使し、逆転させ、また空間を開閉することによって状況をつくりだし文学としていることが見てとれる。

＊一二『和泉式部日記』に、「奥は暗くて恐ろしければ、端近くうちふせ給ひて」とある。つまり、「奥」は暗くて恐ろしいので内部空間の庭に近い、明るいほうに出てきたのである。主語は和泉式部の愛人、敦道《あつみち》親王、男である。「奥」という言葉は何かわからぬ、おそろしいことにもつながっていた。暗ければなおさらである。男が女の家の「奥」が暗いから恐いというのである。女にとっては自分の家であるからその「奥」で安らぐのがふつうである。しかし、自分の家であっても暗く恐い空間がある。現代建築はそうした空間を加速度的に喪失してゆく。

例三　若菜上の巻

●「奥」と「端」の非対性《つい》

「端」と「奥」という言葉が、一つの場面にあっても、対となっていない場合もある。「若菜上」の巻に、柏木が光源氏の正妻である女三《おんなさん》の宮《みや》をたまたま見てしまう場面がある。これを発端として、薫が生まれるのだが、たまたま猫が「御簾」を引っ張ってあけてしまい、「几帳の際《きは》すこし入りたるほどに、袿姿《うちきすがた》にて立ちたまへる人あり。階《はし》より西の二の間の東のそばなれば」(5p127)と、そこにいて蹴鞠《けまり》を見ていた女三の宮がすっかり見えてしまう。少し後で、この女三の宮の行為を夕霧が「いと端近なりつるありさま」(5p129)と非難気味にいう。貴族の女性は「端近」に出るべきではないとされていたのである。

「端」という言葉もでてきてその場は庇なのだが、この引用二文の間に「夕影なれば、さやかならず、奥暗きここちするも、いと飽かずくちをし」と、暗くてよく見えないことを柏木が残念がるところがある。この「奥」は明らかに母屋ではなく奥のほうといった方向性が示されている。もっとも、その奥の方向に母屋があるともいえるのだが、そこまで敷衍してしまうと、言葉の意味がかえって空間に拘束されすぎて浅くなってしまい、あまりに建築空間に言葉を引き入れすぎてしまうことになる。ここでの「奥」は方向性としての「奥」としたほうが物語として、文学として言葉の意味が拡がる。

しかも、「端」に出ていた女三の宮のいるところを「奥」というのであれば、物理的には同じ場所を「端」とも「奥」とも呼んでいることになる。ここでは、「端」と「奥」は対概念ではない。このように「端」と「奥」という言葉が対のように置かれていて、一方の「端」が庇を強く示していても庇と母屋との関係をいっているのではない。つまりこの場合、「奥」は前後の意味、言葉によって意味や場の限定性が変化してゆく言葉と考えられる。

例四　帚木の巻（その1）

●「鎖す」（施錠）

「帚木」の巻には、空蝉の住む中川の家（伊予介家）がでてくる。「狭き所」（1p82）とあるので大きな構えではないと考えられる。この寝殿は、「長押の下に、人々（女房達のこと）臥して」（1p87）とあるので、下長押で母屋が庇より一段上がっていて、姫は一段上がった母屋に、女房達は母屋から一段下がった庇で休んでいることがわかる。しかも源氏が「端つかたの御座」から空蝉のいる母屋へと忍んでゆくとき、「障子」の「かけがねをこころみに引きあげたまへれば、あなたよりは鎖さざりけり」（1p87）とあるので、ここでも母屋と庇には高低差や錠を鎖《さ》すことによる各々のゾーニングがあらわれている。施錠に関しては「あなたより」とあるので、母屋側から鎖すこととなり、母屋の閉鎖性、防御性、内部性があらわれている。

「椎本《しひがもと》」の巻にも「こなたに通ふ障子の端のかたに、かけがねしたる所に」（6p349）と、薫が自分のいる西庇側から「こなたに通ふ」と述べているので母屋側からかけがねしていたことがわかる。

この施錠に関しては、「夕霧」の巻に夕霧が落葉の宮を追ってゆく場面がある。「北の御障子の外にゐざり出でさせたまふを……御身は入り果てたまへれど、御衣の裾の残りて、障子は、あなたより鎖すべきかたなかりければ、引きたてさして、水のやうにわななきおはす。人々もあきれて、いかにすべきこととももえ思ひえず。こなたよりこそ鎖す錠《かね》などもあれ」(6p20)とあり、落葉の宮が夕霧の手を逃れて母屋から北庇に逃げる場面が描写されている。

この母屋と北庇の間の「障子」のところに、身体は北庇に入ったにもかかわらず着物の裾がはさまれて動けなくなる。ここでは、母屋側からは施錠できるが北庇側からはその方法がないと嘆いているのである。「人々もあきれて、いかにすべきこととももえ思ひえず」と、お手上げの状態である。女房達は、母屋側からしか施錠できないことを知っていたのでどうにもならなかったのである。ここでも、母屋は庇に対し防御的に閉鎖できることが示されている。

北側であっても、つまり寝殿造の平面は南に大きな庭(儀式に使うのに適する)があり、東や西には門があるので、北側は「奥」や裏に見えがちだが、この「夕霧」の巻の例のように、施錠する方向においては北庇も母屋・庇構成の中心側、つまり母屋側から施錠して母屋を囲い取っている。そこには母屋に向かう求心的な方向性、中心性がイメージされていると考えられる。

以上のいくつかの例からも知れるように、庇が母屋を囲っているということが施錠方向にもあらわれている。そのことは母屋に中心性があらわれているということを示している。

●「奥」と「端」

「帚木」の空蝉が住む家「中川のわたりなる家」での場面は、「奥なる御座《おまし》」と「端つかたの御座」がはっきりと対《つい》で用いられている珍しい例である。「端つかたの御座」は「仮なるやうにて大殿籠《おほとのごも》れば」とあるように、庇に仮に休んだのであり、空蝉を「かき抱きて」こもったのは「奥なる御座」であり、この「奥」は「端つかた」と対になっており、そこは母屋のなかと考えられる。

ただし「奥」という言葉がこの場面にはもう一度でてくる。それは翌朝、中将の君が「奥の中将も出でて」とあるのだが、この「奥」は、先述した女房達の休んでいた庇とも考えられるし、空蝉が「中将の君いづくにぞ。人気遠きここちして、もの恐ろし」（校注・誰も側にいないようで恐い）（1p87）とあるので、中将の君は空蝉の近くに、つまり同じ母屋のなかに休んでいた可能性も強い。この場合はどちらか特定できないが、「浮舟」の巻で浮舟と右近（女房）の間ではもっと詳細に分析できる。

「君（浮舟）もすこし奥に入りて臥す。右近は北面に行きて、しばしありてぞ来たる。君のあと近く臥しぬ」（8p27）とあるので、右近も女主人の裾の近くで休んでいるのである。すると、「帚木」の「奥の中将も出でて」の「奥」は母屋空間と関わりがあると見ることもできる。「浮舟」の巻の「君もすこし奥に入りて臥す」の「奥」は、「すこし」とあるので同じ空間内での方向性を示す「奥」と考えられる。

ただし、匂宮《におうみや》が薫と偽ってその浮舟のいる場に入り込み、「例の御座《おまし》に」と招き入れられる。翌日、匂宮と浮舟はそこで過ごすのだが、「母屋の簾は皆おろしわたして」とあるので、二人がこもる場が「母屋」と特定される。ここまで読むと先ほどの「奥」は母屋と深く関わっていると知れる。前後の意味が「奥」という言葉に場の限定性を与えてゆく。それゆえ、「すこし奥に入りて」は、同じ母屋のなかでの方向性としての「奥」と考えてよい。このように読み進むにつれ「奥」という言葉がしだいに解明されてゆく。

●母屋と庇

「帚木」の巻における中川の家の場面も、母屋と庇の関係が生き生きと表現されている。この空蝉のいる中川の家に、源氏は「方違《かたたが》へ*一三」でくるのだが、「にはかに」、つまり急なので相手側の用意ができていない。中川の家では、「寝殿の東面払ひあけさせ、かりそめの御しつらひしたり」（1p82）、つまり東庇をあけて源氏に臨時的に使わせた。

源氏は昼間にはこの東庇にいて「この西面にぞ人のけはいする」、「この近き母屋につどひゐたるなるべし」、つまり女房達が東庇の西側の、母屋内にいるのを気配や音で知るのである。そして夜は「端つかたの御座」で仮に休み、空蝉の所に忍んだ後は、「奥なる御座」へと移動し休む。母屋が空蝉のいた所と、「奥なる御座」のある所と、源氏によって「ひきたて」られた「障子」によって少なくとも二つに仕切られていたと考えられる。

女房達は「長押の下に、人々臥して」とあるから、母屋から一段下がった庇（北庇か西庇であろう）で休む。下長押によって母屋と庇の床に高低差があることで各々のゾーニングがなされている。この場面では母屋と庇全体が住まわれ、使われていることが生き生きと表現されている。寝殿が母屋・庇構成のなかで空間的にも縦横に使われている。

また、住居である寝殿がシンメトリーには使われていない様子がここにもあるが、それは日常生活、私生活が描かれているからである。「まろ（小君《こぎみ》）は端に寝はべらむ」、「女君は、ただこの障子口すぢかひたるほどにぞ臥したるべき」、源氏が空蝉の休む母屋に入ると、「几帳を障子口には立てて、火はほの暗きに見たまへば唐櫃だつ物どもを置きたれば、みだりがはしきなかを、分け入りたまへれば」と、母屋・庇構成による枠組みを設けられながらも、なかでの生活、人の動き、物の配置はかなり自由で、場合によってはごたごたしているといってよい。母屋・庇・簀子構成は制約や規制というより、源氏物語ではかえってその構成を利用して自由に使いこなしているように見える。つまり、紫式部は貴族の日常生活を描いたのである。

＊一三　「方違《かたたが》へ」とは、陰陽道《おんみょうどう》によって自分が行く方向が方塞《かたふた》がりに当たるとき、その方角を避け、吉の方角にある家に前夜泊まり、そこからあらためて出かけることをいう。その場所を「方違へ所」という。「帚木」では中川の家がそれにあたる。

例五　空蝉の巻（その1）

●「鎖す」こと

施錠に関しては、「空蝉」の巻に「門《かど》などさ̇させぬさきにと、急ぎおわす」（1p106）とあって、光源氏が子供の「小君」（貴族の子供の愛称）に工夫させ、空蝉のいる室内に入る手引きをさせるのだが、まず門は内側から戸締まりをされると外から内部に入ることができないことを示している。それゆえ、門が施錠される前に急いで行こうというのだ。このことは、寝殿造（一町四方）は、一番外部の築地塀廻りを一旦施錠されると非常に閉鎖的な空間になることを暗示している。

ただし、このすぐ後の「夕顔」の巻に、「御車入るべき門は鎖̇したり、人して惟光《これみつ》召させて、待たせたまひけるほどに」（1p123）とあって、惟光（源氏の従者）が後でこの「門あけて」出てくるのだが、これは源氏の乳母《めのと》の家であるから顔見知りで容易であったとしても、やり手の手引きは門をも開けさせてしまうのである。

「空蝉」の巻では、これに続いて小君の内部空間への手引きは、女房達と顔見知りであること、子供であることを利用して、「格子たたきののしりて入りぬ」とあるので、「格子」をたたいて、内側から誰かに開けさせて室内に入った。

この後、小君は内部の様子を源氏に知らせようとして、いったん外部に出、再びなかに入ろうとするのだが、「こたみは妻戸《つまど》をたたきて入る」（1p111）とあるから、今度は妻戸をたたいて、内側から開けさせて入ったのである。小君は前に一度内部に入っているのであるから、内部の人達に見られており、再び入るのに妻戸が開いていればたたく必要はないのだから、このとき妻戸は内側、庇の側から施錠されていたと考えられる。外から妻戸を押し破ることはできない。板戸で堅固にできているからである。

手引きの人間が内部に入ってしまえば、あとは源氏を引き入れるのはたやすい。このように、簀子と庇との間は格子や妻戸によって各棟ごとに鎖されていた。外部からたやすく打ち壊して入ることはできない。

それに「皆しづまれる夜《よ》」である。無理に押し入ろうとすれば大きな音もでて寝ている人々を起こしてしまう。男が忍んでくるのは体裁を考えて夜のことがほとんどである。人目を忍んでくる。人々は寝静まっており、基本的にその闇と静のなかで男女が会うことが進行する。静であるから引き起こされるあらゆる音が識別できる。源氏物語には男女の出会いの物語が多いゆえに、音、それを聴き分ける聴覚の世界が描かれる。

こうしたことは、現実の世界で当然起こっていた。紫式部日記に「渡殿に寝たる夜、戸をたたく人ありと聞けど、おそろしさに、音もせで、明かしたる」とある。場所は藤原道長の屋敷、土御門殿《つちみかどどの》（妻・倫子の家ともいえる）と考えられている。このとき道長が紫式部の室に夜忍んできたとされる。紫式部はおそろしさに返事もしないで夜を明かした。戸（渡殿であるから閉鎖性の強い板戸か格子であったろう）は内側から施錠されていたのである。翌朝、道長の歌に返して、「ただならじとばかりたたく水鶏《くひな》ゆゑあけてはいかにくやしからまし」とあって、紫式部は戸を鎖したまま開けていない。源氏物語と同じ世界が現実に起こっており、紫式部はそれを身近に観察、体験していたのである。紫式部日記には、紫式部の観察の鋭さ、表現としての写実性があふれている。日記という記録を写実的に書ける作者が源氏物語を書いていたのである。

例六　総角《あげまき》の巻

●「鎖す」――閉鎖性の強弱

「橋姫」の巻以後は世に宇治十帖ともいわれるが、そこには光源氏の弟宮、源氏とは逆に零落した八の宮の娘、大君《おおいぎみ》と中の君《なかのきみ》と、とくに薫とのことが、宇治の山荘（「山里」）という場を通して描かれる。大君と薫は最後まで肉体的には結ばれることはないのだが、そのこともあってか、宇治の山荘の施錠に関わる描写が様々にあらわれてくる。それは建物のなかに入ることは認められている男（薫は八の宮に娘の姫君たちの後見を依頼されている）に対する女側の対応である。

例一、例四、例五でも述べた施錠の問題であるが、大君がまだ病に伏せる前に、薫と対面する場面がある。「庇の障子を、いとよくさして、対面したまへり」（7p49）と、これは母屋と庇の間《あいだ》の「障子」を、大君のいる母屋側からしっかり施錠して会ったということだ。「障子」であるから相手は見えない。そして薫がこの「障子のなかより御袖をとらへて引き寄せ」（7p49）とあって、「障子」の引き違いの隙間から大君の着物の袖をとらえたというのである。この事態から判断して、この「障子」の閉鎖性は弱いと考えてよい。

さらに「障子をも引き破りつべきけしきなれば」（7p51）と、薫がその「障子」を引き破りそうになることが述べられている。「障子」の強度は弱いのである。つまり、母屋と庇を区画する「障子」は、庇と簀子を区画する格子、蔀戸、妻戸と比べて強度がはるかに弱く、閉鎖性も弱い。このことは、内部空間である母屋と庇とを区画することの意味が、簀子と庇を区画する格子、蔀戸、妻戸と違って、戦いや盗賊からの防禦や防犯に対するものではないことを示している。

女の家では、それは女に会おうと室内（庇以内）に入ってきた、あるいは室内に入れた男を「仕切り」、遮る手段であった。母屋を内側から施錠することができることで寝殿に、あるいは対に、母屋という中心性があらわれる可能性が見える。それは母屋、庇という空間にそれぞれの特性、空間的な質の差を与えることになる。

「仕切り」そのものの閉鎖性の程度についても指摘できる。今までいくつかの例で見てきたように、「障子」はこれをはさんで向かい合っても相手の姿を見ることができない。

几帳は背が低く、室全体を仕切るものではないし、綻びもあるので脇や上部や隙間から向こうをうかがい覗くことができる。簾は透けて見える。近くからだと向こうがかなり見える。屏風は手で簡単に押し開けられる。

つまり、「障子」は几帳、簾、屏風に比べて閉鎖性が強いのである。しかも、施錠ができるとなると、施錠する側の閉鎖性は急激に増し、閉鎖性の質、強度が異なる。こうした「仕切り」の閉鎖性の程度は、「仕切り」越しに、物越に会うとき、女が男を扱う程度、あるいは自分を隠す程度を示している。几帳越しや簾越しで会うのは、鎖すことができる「障子」越しよりはるかに気を許していることになる。「障子」越しであれば、かなり警戒していると考えてよい。

前述の、「障子をも引き破りつべきけしきなれば」の次の大君と薫の出会いも、「物越に対面したまふ」（7p71）であった。その「物越」とは、「障子の固めもいと強し」とあるように、相変らず、「障子」の施錠をしっかり行ってのことである。鎖している側、女の側の警戒している意識としては強いものがある。しかし、この「障子」も薫にとっては、「しひて破らむをば、つらくいみじからむ」とあるように、破ろうと思えば破れるほどの強度のものなのである。男によっては破って入る人がいたことが想起できる。破って入らないのは、薫が大君の心を思ってのことである。ここに、「鎖す」、施錠した「障子」の物理的な閉鎖性がそれほど強くないことが表現されている。

薫は幾度か、屏風や几帳を開けて、女のいる方向に押し入っているし、「かくほどもなきものの隔てばかりを障り所にて、おぼつかなく思ひつつ過ぐすおそさの、あまりをこがましくもあるかな」（7p20）と、屏風や簾くらいの「仕切り」を、入ることの妨げとして、もどかしく思っている自分を愚かしいともいっている。つまり、「障子」を含めてこうしたものはみな、男が破ろうと思えば破れるものであったのだ。光源氏も末摘花邸の「障子」で鎖された母屋に押し入っている。

母屋・庇間《かん》の「仕切り」は、庇・簀子間《かん》の「仕切り」とは違ったやわらかい「仕切り」であったのだ。女の側からの意図によって、「障子」を閉めて会うこともできるし、「障子」を施錠して会うこともできた。男の側からは、その意図によって施錠されていても壊してなかに入れたのである。もちろん、「障子」なしで几帳越しに会うこともできた。母屋、庇はこうした「仕切り」で形成されていた。

このことから女の側によって庇にまで入れられた男は、女の側からある程度まで内部に受け入れられていることがわかる。ある程度とは、奥の母屋に押し入ろうと思えば押し入ることのできる空間に受け入れられたのである。つまり女の家では男の位置を女が室礼することによって決定していたのだ。それは女の側からの空間的秩序の決定であった。

源氏物語では男と女の物語がこうした空間のなかで展開している。母屋、庇にはそれぞれの空間特性による場の違いがある。男も女もその空間特性を把握し、自らの、あるいは相手の空間的な位置を決めていたのだ。寝殿造においては男と女の空間的位置が状況を決定づける。その位置を、男あるいは女がどう移動してゆくかは物語の展開に大きな影響を及ぼした。つまり、源氏物語では男と女の空間的移動が物語性、劇的状況を形成していたのだ。それは男が、女の室礼した空間的秩序に違犯し押し入ってゆくことで劇的に展開してゆく。

このように見てくると、例一で示した「末摘花」が男を少しでも近くに入れることに示した拒絶的な態度、身体的な用心深さは貴族の娘として正当であったといえる。

●同一空間内の「奥」

「総角」の巻に薫と大君が会い、その後、大君が中の君の所に行って休む場面がある。「中の宮の臥したまへる奥のかたに添ひ臥したまふ」（7p27）とあるのだが、大君が薫と会うのは、「対面したまふ。仏のおはする中の戸を開けて」（7p19）会ったのだから仏間のなかである。この仏間は、「椎本《しひがもと》」の巻に「（薫が）宮（八の宮）のおはせし西の庇に、宿直人《とのゐびと》召し出でておはす。そなたの母屋の仏の御前に、君たち（姫君たち）ものしたまひける」（6p349）とあるので、薫が西庇にいて、姫達はそれに接する母屋（母屋の西側）の仏間にいたことになる。そして姫君たちは、「気近からじとて、わが御方にわたりたまふ」とあるから、客の近くにいてはまずいと自分の室に移動したのである。仏間は母屋の西端にあるのだから、その「わが御方に」は母屋のなかの東側と考えられる。

話をもどすと、「総角」の巻では大君は仏間で薫と会った。その後での大君の移動、「中の宮の臥したまへる奥のかたに添ひ臥したまふ」は、大君が母屋の西側部分（仏間）にいたのであるから、ここから中の君のいる「奥」とは、先述の、「わが御方」のほう、母屋のなかの西側部分とは仕切られた東方向の「奥」と考えられる。同一の母屋の仕切られたなかでの移動である。

同じ「総角」の巻の、大君が死の床に臥せってからの場面だが、「中の宮（中の君）、切におぼつかなくて、奥の方なる几帳のうしろに寄りたまへるけはいを聞きたまひて」（7p103）と、薫が中の君が奥のほうの几帳の背後に寄った気配を聞く場面がある。この「奥」は、少し前に薫が「南の庇は僧の座なれば、東面の今すこし気近き方に、屏風など立てさせて入りゐたまふ」（7p99）とあるので母屋のなかに入っている。中の君も同じ母屋のなかにおり、これは同じ母屋のなかでのことなので、この「奥」は方向性を示す。ここでは、明らかに同一空間（ここでは母屋）のなかでの方向性の「奥」が強く示されている。同一空間のなかであっても、主体（この場合、薫）の意識によって「奥」は深くもなる。

また、同一空間内であっても「奥」ということには、この当時の同一空間内は室礼が重なって形成されている状況があり、それを背景として「奥」という表現が使われている可能性がある。

例七　花宴の巻

●「奥」と表現すること

「奥」と母屋が明確に重なる場合もある。「奥の枢戸《くるるど》もあきて」（2p52）とあって、これは弘徽殿の「細殿から奥（母屋）に通じる境にある枢戸」（校注）であるから、この「奥」は母屋と重なっている。しかし、だからといって「奥」イコール母屋ということにはならない。母屋ではなく、わざわざ「奥」と書くことには、その主体となっている人物が「仕切り」（ここでは「枢戸」）の向こう側を意識していることがあらわれている。主体から見た対象側、やはり方向性としての「奥」が強く意識されているのである。

わざわざ「奥」と表現することには意味があるはずで、その根拠を少しでも探ってゆくことが、この曖昧な言葉を少しずつ方向性を持って定義づけてゆくだろう。

例八　夕霧の巻

●曖昧な「奥」

夕霧は物の怪《け》を患っている落葉の宮の母、一条御息所《みやすどころ》を見舞いに小野の山荘（「山里」）にやってくる。夕霧と落葉の宮との出会いである。御息所は北庇で臥せっている。「宮（落葉の宮）は、奥の方にいと忍びておはしませど、ことことしからぬ旅の御しつらひ、浅きやうなる御座のほどにて、人の御けはひおのづからしるし」（6p15）とあって、落葉の宮は「西面に宮はおはします」（6p14）とあるので、母屋の西側部分にいたと考えられる。それゆえ、「奥の方にいと忍びておはしませど」は、巻末付表で分類の(a)「母屋が「奥」と深く関わっている可能性のあるもの」とも(b)「方向性の「奥」を示すもの」ともとれる。つまり、どちらにもとれる、読者が選べ、感情移入できるといってよい、漠然と方向性を示した「奥」といえる。

「御座」は母屋のなかにあるので、「浅きやうなる」という言葉も、母屋のなかでの庇に近いほうという意味である。夕霧は庇にいて簾を隔てて会っているのだから、落葉の宮の御座が母屋のな

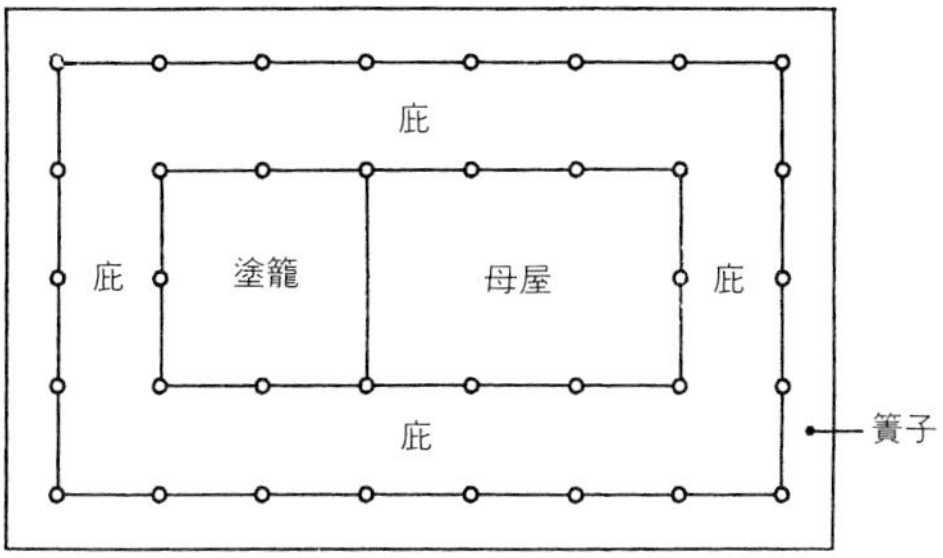

五間四面（間面記法）

図16　母屋（塗籠）・庇・簀子構成

かでも庇側に近いので夕霧のいる場所に近く、また、光の入る庇に近くなるので夕霧には落葉の宮の様子が自然とよくわかったのである。

源氏物語では、本書の第三章はじめの分類からも知れるように、一般的には「奥」は方向性の「奥」を示すことが多い。「奥」は漠然と方向性を示すだけで、はっきりと場所や方向、位置を示さない場合がほとんどである。

曖昧な表現がなされたとき、「奥」は読者の感情移入に任されて読まれる。もちろん、そうした読者の参加を汲み上げることで源氏物語は成立している。日本の古典文学にはこうした方法は共通していえることである。ただし、曖昧な表現だけで出来上がっているのでは決してないということは強調してよい。さもなければ、紫式部が一人一人の登場人物を描き分け、空間の差をも描き分けることなどできるはずがない。

こう見てくると、「奥」は漠然と方向を示すことに基本的な意味があるが、前後に意味や言葉が加わることによって、ただ漠然と方向を示すだけでなく、それに場所性や意味性が加わる言葉であると考えられる。「奥」それだけでは意味が漠然としている分、この言葉の読解には前後の言葉や文が重要である。

第一章(3)「仕切り」のところでも述べた「火障りの木」のように、何かと合わせて置かれるとき、「奥」の場合、前後にその「奥」に意味を与える言葉が付け加えられるとき、パースペクティブを生じてくる言葉なのである。その程度が激しい典型的な言葉が「奥」という言葉だといってよい。まさに、空間の奥行きと関わった言葉なのである。

「奥」という言葉を常に漠然ととらえてしまうことは間違いである。紫式部は、「奥」を様々に枠組みづけることによって源氏物語に空間性を与えてきたのだ。

●塗籠《ぬりごめ》を「鎖す」

落葉の宮は母・御息所が亡くなった後、「まめ人《びと》」（まじめな人）・夕霧の段取りで小野の山荘（「山里」）から元の住まい、一条の宮に帰ってくる。「住みつき顔に」（主《あるじ》のような顔をして）屋敷にいる夕霧から身を避けようとして、落葉の君は塗籠のなかに隠れてしまう。「塗籠に御座《おまし》（敷物）ひとつ敷かせたまて、うちより鎖して大殿籠《おほとのごも》りにけり」（6p77）と、塗籠の内側から施錠して一人で休んでしまう。

この塗籠（図16）とは、母屋のなかの一部を仕切って四方の壁を塗り込め、出入り口（板戸）を一カ所か二カ所設けた室で、非常に閉鎖性が高い。寝所や衣服調度の収納に使われた。つまり、母屋のなかにも、もう一重、塗壁・板戸という閉鎖性の高い囲われた空間があり、それも内側から施錠ができたのである。しかし、しだいに寝所は母屋のなかに置かれた帳《ちょう》、帳台《ちょうだい》に変わっていった。

夕霧が、「ただいささかの隙《ひま》をだに」（校注・ほんの少しの隙間だけでも）開けて欲しいと頼んでも返事がない。その施錠の閉鎖度の強さは、夕霧の歌の「怨みわび胸あきがたき冬の夜に　また鎖しまさる関《せき》の岩門《いわかど》」の「関の岩門」（戸の比喩）と表現されるほど固いのである。夕霧は泣く泣く帰ってゆく。この塗籠は男でも破って入ることができない。

寝殿造の一棟の建物（寝殿、対）の内部空間は三重に施錠されていたのだ。簀子・庇間《かん》（格子、蔀戸《しとみど》、妻戸）で、庇・母屋間《かん》（障子）で、そして母屋内の母屋・塗籠間《かん》（板戸、枢戸《くるるど》）で、である。

『竹取物語』（平安初期）のなかで、翁が、かぐや姫が天からの使いに連れ去られるのを防ごうと隠したのがこの塗籠である。翁はそこを施錠して守ろうとする。「嫗、塗籠の内に、かぐや姫を抱かへて居り。翁も、塗籠の戸をさして、戸口に居り」。当時の人々が外部からの侵入に対し、最も防禦性、閉鎖性が高いと考えていたからこそ、塗籠が選ばれたのである。人々に、防禦の意味での屋敷における中心性、内部性の意識を与えていたと考えられる。それは、源氏物語のなかに何重にも奥に向かってかけられてゆく施錠があらわれることで理解できる。

だが、この塗籠の閉鎖性の強さも、手引きがあれば容易に男を女のもとへ、塗籠のなかへまで入れさせてしまう。次の夜、夕霧は女房（小少将）の手引きでなかに入る。「人通はしたまふ塗籠の北の口より、入れたてまつりてけり」と、この塗籠には二つ戸口があり、夕霧は女房が出入りを許されていた別の戸口からなかに入り、落葉の宮と契る。

姫君達は女房がいなければ何もできない。いつも女房達に世話をされているのである。その女房が男に味方すればどんな施錠も開いてしまう。

翌朝（後朝）、塗籠のなかの二人は、「朝日さし出でたるけはひ漏り来たるに」と、この閉鎖空間から朝日の気配を感じとるのであるが、これは二人がすでに一緒にいるのであるから、戸口は開いていたと考えられる。そこから庇、母屋を透過してきた光が漏れていたのだろう。そのほの淡い光のなかで、夕霧は落葉の宮の顔を、おそらく初めて直接に、何の遮りや仕切りもなく見る。『源氏物語――その住まいの世界――』（池浩三）にはこのところを、「〈家屋雑考〉は塗籠には〈明取〉があるとする」として、その例かもしれないとしているが、母屋の塗籠にまで光を直接入れる必要性が薄く、また屋根からの雨漏りの可能性が大きくなること、炉やかまどを室内に持つ家と異なり、煙だしの必要性もないことなど考えると可能性は薄いと考えられる。炉やかまどが、主要建物の外へ出ること、火を扱うほかの建物内に移されることによって、個々の主要建物の構造も、しだいに現在知られている寝殿や対《たい》の建物の構造へと方向づけられていったのではなかろうか。煙だしを考慮する必要がなくなり、形が洗練されていったのである。

その後、落葉の宮は「御手水《てうず》、御粥など、例の御座のかたに参れり」と、籠《こ》もっていた塗籠から普段いた母屋の「御座」のところに戻る。こう見ると、この当時（平安時代中期）から塗籠はこうした非常の時にしか寝所や籠もる場所として使われなかったのである。むしろ、ふつうは衣類・調度類の収納場所として使われていたと考えられる。実際、この「夕霧」の巻の場面でも、

「塗籠も、ことにこまかなるもの多うもあらで、香《こう》の御唐櫃《からひつ》、御厨子《みづし》などばかりあるは、こなたかなたにかき寄せて、気近《けぢか》うしつらひてぞおはしける」と、塗籠に落葉の宮が籠もるために、わざわざ中のものを片付けて、住めそうな空間にしたことが記されている。普段からいつも寝所として使っていたのではないことが表現されている。寝所は母屋に置かれた帳、帳台に変わっていたのだ。

しかし、寝所がこの塗籠から帳、帳台に変わっていったことは大きな変化である。塗壁という閉鎖的な「仕切り」から、可動で、帳《とばり》というたおやかな「仕切り」で囲われた空間への変化、それは建築構成物としての壁から室礼・調度（現代でいう家具）への変化である。塗籠のなかで就寝していた時代の名残が、塗壁・板戸といった強度に閉鎖的な「仕切り」であろう。就寝の場が塗籠からその外に出たとき、寝ることの意味、あり方も変わったのである。そして、母屋、庇はそれぞれのなかでさらなる均質的空間に変わっていった。

例九　明石の巻

●妻戸を鎖す

例五の空蝉の巻で示したように、寝殿や対の妻戸が鎖されているのは、男が内部側から受け入れられていない証拠である。家が男を受け入れている場合は、少なくとも妻戸の錠は鎖されていない。

「明石」の巻に、明石の上の父・明石入道が「母君」が心配するのを聞き入れず、「心一つに立ちゐ、かかやくばかりしつらひて」（校注・自分の一存で奔走して《娘の部屋を》まばゆいほどにととのえて）（2p288）、源氏が娘のところにくるのを待つ状況では、「月入れたる真木《まき》の戸口、けしきばかりおしあけたり」と、錠を開けてあるばかりか源氏を娘の元に誘うかのように、わずかに妻戸が押し開けておかれる。月夜であるのでそこから内部に光が入り込む。ここでは、戸（「仕切り」）を開けることが、光を入れることであることが、直接、表現されている。

ここは、都ではなく明石であり、明石入道（前播磨の守）の娘を住まわせている「岡辺の宿」であるが、源氏がやっかいになっている入道の家は、「住まひけるさまなど、げに都のやむごとなき所々に異ならず」と、京と変わらない、むしろ、「まさりざまにぞ見ゆる」と、まさっているともいっているから、娘の家も寝殿造的な家であったことがうかがえる。源氏もこの「岡辺の宿」を、「見どころある住《すま》ひなり」といっているので、この家の明石の上の住む部分の構成は、母屋・庇・簀子の構成でできていると考えてよいだろう。

父とは違い、明石の上は、男（光源氏）が来ることなど知らされていないので、源氏が近づき話しかけると動転して、「近かりける曹司《ざうし》の内に入りて」と、近くの部屋に入ってしまう。そして「いかで固《かた》めけるにか、いと強きを」と、内側からどのようにしてだか、強く戸締まりをしてしまう。源氏は開けようとするが開けることができない。「いと強きを」と源氏が開けようとしている行為は、もし明石の上が入った「曹司」が塗籠であれば、戸は板戸であるから源氏がいかにがんばっても開けることはできない。しかし、源氏は「されど、さのみもいかでかはあらむ」と、な

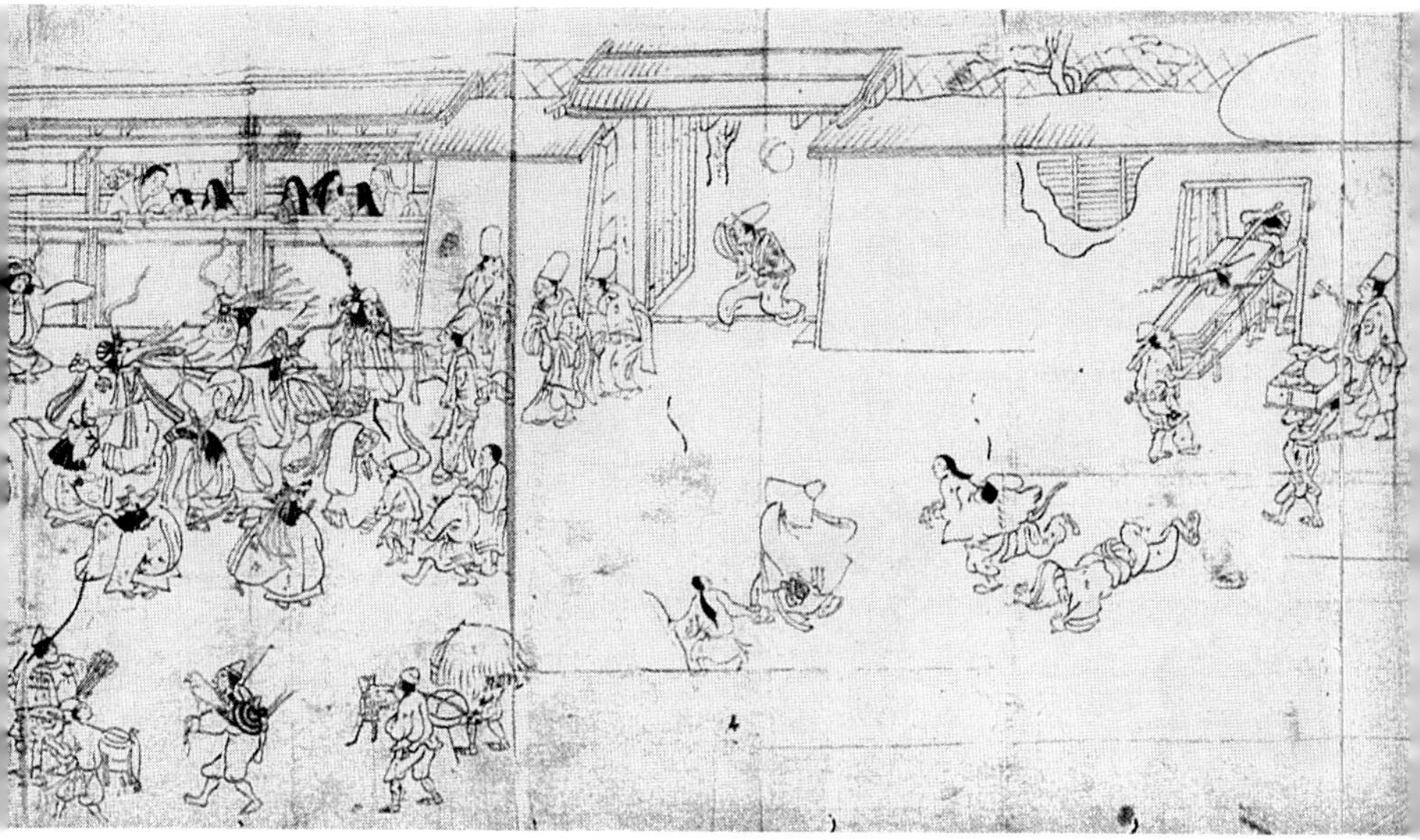

図17　『年中行事絵巻』別本巻三「安楽花」(田中家所蔵・日本の絵巻８・中央公論社)

んとかなかに入ってしまう。このことから、明石の上が逃げ込んだ部屋は塗籠ではなく、「障子」で囲われた部屋であったことが想像できる。それを最初は無理押ししないが、とうとう押し入るのである。「さのみもいかでかはあらむ」とは、そのことを婉曲に表現している。末摘花のときと状況は変わっていても、ここでも源氏は女の空間に押し入るのである。

例十　夕顔の巻（その2）

●外部空間を鎖す

例五で、寝殿造（一町四方）は、一番外部の塀廻りを一旦施錠されると非常に閉鎖的な空間になることを例をあげて指摘した。「夕顔」の巻に「御車入るべき門は鎖したり、人して惟光召させて、待たせたまひけるほどに」（1p123）とあって、寝殿造の一町四方は、まず築地塀に囲われ、そこに開けられた門（板戸）によって鎖されていた。この門は「御車入るべき門《かど》」で、ふつうは車（牛車《ぎっしゃ》）が入ることになっていた。「門」から、なかにある中門までは身分の高い人は「御車」で入っていけた。＊一四

後に、「門あけて惟光の朝臣《あそむ》出で来たる」とあるから、惟光はその「門」の錠を内側から開けて出てきたのだ。その間、源氏は外で待っていたのだから、それでは惟光はどこからこの屋敷に入ったのだろうか。人間だけが入れる通用口があり、そこから入って「御車入るべき門」を開けて出てきたたと想像できる。『年中行事絵巻』の「別本巻三、安楽花」に門から数メートル離れた同じ築地塀に、狭くて低い車の入れない通用口が開いており、そこから荷物を屋敷のなかに運び込もうとしている男達が描かれている（図17）。惟光はこうした出入口を利用したと推測できる。つまり車の入れる門は閉まっていたが通用口は開いており、やり手の惟光がなかに入って交渉し門の錠を開けさせたのだ。当時の日常生活において門を閉める時間と通用口を閉める時間に差のあったことが推測できる。門は閉じても、通用口はより遅くまで開いていたのである。

車の出入口と人間だけが出入できる口が同じ場所にセットになっていることも考えられるが、絵巻にはでていない。

和泉式部日記では門が閉まっていて、なかから開けてほしいときには門をたたいている。「宮、（和泉式部の所へ）例の忍びておはしまいたり。……門《かど》をたたくに、聞きつくる人もなし」と。内部の人間が眠り込んでしまい、誰もその音が聞こえず、敦道《あつみち》親王（宮）は男がきているのだろうと帰ってしまう。次に門をたたいたときは、和泉式部は気がついてひとを起こすのだが、間に合

わず宮は再び帰ってしまう。つまり、内側から施錠されているから外からはどうしようもないのである。しかも忍びである、それほど大きな音はだせない。ここでは、内側から閉じられた門をたたくことで内部と連絡を取ろうとしている。

「末摘花」の巻に、源氏が例の末摘花の赤い「御鼻」を見てしまった逢瀬のときだが、「御車寄せたる中門」から入り、帰りは「御車出づべき門は、まだあけざりければ、鍵のあづかり尋ね出でたれば」（1p273）とあって、この門は外部に出る門であるが、内側から施錠され鍵を誰かが預かっていることが記されている。当然、門には、施錠があった。鍵がなければ内側からでも開けられない。たとえ築地塀を乗り越えても鍵がなければ門を内側から開けることはできない。

寝殿造（如法一町家）は、この「門」でまず一重、施錠されていた。「御車」は「門」を入ると中門までそのまま進める。中門も閉鎖的な板戸であるから施錠されていたと推測できる。その北側の妻戸からふつう、客は入る。妻戸という閉鎖性の強い板戸である。これも施錠されていたと推測できる。寝殿造の建物群は、そこから中門廊が始まり、各棟の妻戸などを介して室内空間へとつながってゆく。棟ごとに内側から施錠されていた。

ただし、「門」と中門との間がどう閉鎖され、閉鎖領域を形成していたかはどの絵巻、復元図を見ても、雲煙（「すやり霞《がすみ》」）で見えなかったり、隠れていたり、描かれていなかったりで、曖昧にされ、隅々まではっきりしているわけではない。築地塀と建物との間は閉じられていたのだろうか。おそらく閉じられていたに違いない。ただし前に記したように、『年中行事絵巻』（「舞御覧」図9）にあるように池（広く深い水面）が閉鎖空間をつくる装置の一翼を担っていた可能性も考えられるので、そこは武士の時代の書院造ほど閉鎖性が強くなかったと考えられる。

時代は下り（十六世紀中頃）、その武家の屋敷だが、洛中洛外図屏風の細川管領邸には、この場がきちんと区画されている姿が描かれている。庭、池が外部から人の出入りする部分とはきちんと塀で仕切られている。武士の家であるから防禦が徹底していることが見てとれる。

絵巻には儀式・行事が描かれており、日常生活の部分は描かれておらず、上述の人だけの出入り口などもほとんど描かれていない。この「門」と中門との間の、公的でもない、あまり私的でもない前庭的、控えの場的空間には興味を惹かれる。これをいかにつくるかも、「如法一町家」という正方形の敷地に奥行きをつくる一つの方法であっただろう。

いずれにしても、寝殿造（如法一町家）は外部空間を、まず築地塀に囲われそこに開けられた「門」で一重、その内側の中門（中門廊）で一重、つまり二重に施錠された閉鎖的空間の内部に、上述した建物の内部空間の重層（三重）した閉鎖的空間が拡がっていたのだ。いってみれば門↓中門（中門廊）↓簀子・庇↓庇・母屋↓母屋・塗籠という内側から五重に施錠された空間であった。[*一五] 男が女に近づくには、この五重のバリアーを抜けていかなければならなかった。それゆえに母屋に到達するには惟光《これみつ》、命婦《みょうぶ》、小君《こぎみ》といった手引きする人間が必要だったのだ。

女も、自分が住み、内に籠もりがちな家を、こうした五重に内へ内へと閉鎖されている空間構成として意識していたであろう。そこに寝殿造の空間構成の内部性、中心性、求心性への契機が潜んでいる。閉鎖性を含め、それらが次の時代の書院造[*一六]の空間構成にも引き継がれていったことが推測できる。

＊一四　もっと高貴な人物は車で中門から南庭に入れた。第二章(4)「門から道へ」参照。
＊一五　ただしこの五重の施錠は棟ごとに外に向かって五重であって、最外部の築地塀に開けられた門から一カ所の中心に向かって五重であったのではない。
＊一六　書院造については拙書『日本の建築空間』第一章の「書院造」を参照。

例十一　宿木の巻

●簀子と庇での扱いの差

薫と中《なか》の君との場面であるが、薫は簀子に「御茵《しとね》」を敷いて会っており、室内（庇）に入れてもらえない。前回、母屋まで入り込んだからである。薫が「医師《くすし》などの列《つら》にても、御簾のうちにはさぶらふまじくやは」（7p217）と、医師などと同じ扱いで御簾の内側に入れて欲しいといい、女房達が、「げにいと見苦しくはべるめり」（校注・夕霧に対し「確かにこれではあまり失礼に当たりましょう」）ということで、やっと女側は「母屋の御簾うちおろして、夜居《よゐ》の僧の座に入れたてまつる」と、母屋と庇の間《あいだ》の御簾を下ろして庇にまで薫を入れたのである。薫は中の君と簾越しに対面する。

中の君は「すこしゐざり出でて、対面したまへり」とあるから、母屋の「奥」から少し庇のほうに寄ってきたのである。ただし、中の君の動きはあくまで母屋のなかでの動きである。そして中の君が庇のほうに少し寄ってきたにもかかわらず、このあと、「（中の君が）こよなく奥まりたまへるも（薫は）いとつらくて」とあるのは、自分（薫）がはじめから庇に招き入れられなかった扱い、自分が庇にいて中の君が母屋にいるという、同一の空間ではなく違った空間にいること、中の君が少ししか「ゐざり出で」てこなかったことに、薫が距離感を感じていること、しかも「御簾」を間に介しての対面であることが理由である。女が男を簀子までしか入れないか、庇という室内まで入れるかは、その扱いに大きな差がある。しかも、最初から招き入《い》れられるかどうかは男にとって天地の差なのである。光源氏も末摘花邸での扱いは、初めての対面は簀子から始まりそうになった。このときも女房（命婦）が、「簀子などにては便《びん》なうはべりなむ」と取りなして庇で会うことになったのである。同じ庇に入れられたのだが、源氏は「障子」を介して、薫は簾越しである。この扱いの差は薫は中の君の父（八の宮）に娘達の後見を依頼されていたからであり、源氏の場合、末摘花にとって初めての男の訪問であったことが影響していると考えられる。

前回、薫が中の君を訪れたときは、はじめから庇に入れられ、「母屋の簾に几帳添えて」であったが対面している。このとき、薫は簾の下から中の君の袖をとらえて、中の君のいる母屋のなかにまで入り込む。袖をつかめたのだから中の君は簾のごく近くにいたのだ。今回は、中の君は前回のことがあるので、「すこしゐざり出でて、対面した」のである。奥から少し出てきただけである。それもあって薫は、「（中の君が）こよなく奥まりたまへる」と嘆いたのである。薫にとっては「こよなく奥ま」った、意識の「奥」方向とも重ねられている。

今回も薫は中の君の用心にもかかわらず「簾《す》の下より几帳を少しおし入れて」（今回も几帳は置いてあった。簾と几帳とで二重に仕切られていたのである）、「なれなれしげに」母屋のなかまで入り込む。袖をつかむことはないので、前回と違って中の君は簾からかなり離れていたと考えられる。中の君には匂宮《におうみや》という夫がいる。優しい薫は相手のことを考え無理強いをすることはない。

源氏物語のなかに表現された様々な家の平面は、ほとんどがはっきりしない。それは物語が空間を描くことが目的ではないことを語っている。しかし、母屋、庇、簀子でなされる貴族達の行為が、建築空間と共に描かれているのを読むと、明らかに空間は意識されており、書き手も、物語を読むほうも、当時の貴族の住宅である寝殿造、その基本構成である母屋・庇・簀子構成を理解しており、それを頭に入れて、書いたり、読んだり、イメージしていたと考えられる。それゆえ、登場人物がどこに配置されるか、その場は重要な意味を持っていた。源氏物語は、当時の建築空間の基本をとらえ、見事に空間をも表現していたといってよい。

書き手も読み手も、自らが住む寝殿造を把握していたのであり、くどくど説明する必要はなかった。そうした共通した知を前提に読者を巻き込んだ文学の表現があった。寝殿造を持つことのない、そしてその空間を感じる感性の薄れた現代の我々こそが、その空間を理解することが難しいのである。

例十二　空蝉の巻（その2）

「奥」でも、主体が見ている対象が、主体から見ての向こうであっても、向こうの手前のものを指している場合がある。

●意識の「奥」

「空蝉」の巻で、その前の巻「帚木」で空蝉と契った以降、拒絶され続ける源氏は、人目を忍んで空蝉の住む中川の屋敷を訪れる。前述のように、垣間見る源氏に、向かい合って碁を打つ空蝉と軒端荻《のきばのおぎ》の、源氏から直接、見える方向には軒端荻がおり、手前の背中を向けている見えないほうに源氏が求める空蝉がいる。その見えないほうの空蝉を源氏は知りたいのである。

源氏のほうから見て、「西ざまに見通したまへば」（1p107）とあり、その方向に見れば「今一人は、東向きにて、残すところなく見ゆ」軒端荻がいる。ところがその後で、「奥の人はいと静かにのどめて」とあって、軒端荻に対面し、源氏に近い東側にいて源氏には背面を見せている空蝉を「奥」、「奥の人」と表現している。

これは視線が引き起こす「奥」ではなく、自分（源氏）が求めている心の「奥」と通底していると考えないと成り立たない。[*一七] 求めているのに見えない側にいるから、源氏にとって「奥」と感じたのである。さらに、空蝉は「まさるべき（校注・見通しを悪くする）几帳」の陰に隠れていて源氏からはよく見えないこと、逆に軒端荻があまりにも露《あら》わに見えたことが伏線となっている。

つまり、それは源氏にとって空間的、場所的位置関係の「奥」ではない。すると「奥」とは、見えること、聞こえること、匂うこととにストレートに向かうあり方があって（源氏と軒端荻の位置関係）、それと対立するあり方、それと反転するあり方があった場合（源氏と空蝉の位置関係）、自分という主体（ここでは源氏）が求めていて、かつ把握しにくい方向を表現する場合があるといえる。

＊一七　光源氏が美しい軒端荻でなく空蝉を求めている理由については本章例一の「顔を知られぬ姫君たち」の項を参照。

例十三　帚木の巻（その2）

●聴覚・嗅覚・触覚によって浮かび上がる空間

例一で、視覚で把握できないときの聴覚や嗅覚に頼った、気配を把握する能力の、研ぎすまされていることについてはすでに述べたが、「帚木」の巻に源氏は人を見ようとして、「見ゆやとおぼせど隙もなければ、しばし聞きたまふ」（1p83）という場面がある。

そこでは、隙間から覗こうとするが隙間がないので耳をそばだてて音を聞こうとする。これは、目に見えなければ、声や音を聞いてそれに代えようとするということである。そして、「仕切り」の向こうの気配を感じとろうとする。つまり、「仕切り」があればそれを超えて離れたままでも把握しようとして、使える感覚はすべて使うのである。視覚がだめであれば、聴覚、嗅覚に頼る。それら五感を駆使して、「仕切り」の向こうの気配を感じとろうとする。

「宿木」で、薫が中の君と「母屋の簾に几帳添へて、我（中の君）はすこしひき入りて対面したまへり」（7p198）と、奥のほうに少し引っ込んで簾と几帳越しに対面するのだが、薫は離れている中の君が、「すこしみじろき寄りたまふけはひを聞きたまふ」と、彼女が近づく「けはひ」をあくまでも「聞く」のであり、さらに今度は、「入りたまひぬるけしき」、つまり中の君が奥に入ってしまうのも、気配を耳（嗅覚もあるかもしれない）で感じとるのである。それで、薫はたまらなくなって簾を上げて母屋に押し入り添い臥す。ここでは、主として聴覚による人と場との関係の把握がなされている。

何事もなかったのだが、この添い寝が薫の「移り香《が》の、いと深くしみたまへる」となって、夫の匂宮にとがめられる。中の君は、「単《ひとへ》の御衣《ぞ》」つまり下着を「脱ぎかへた」のに「身にしみにける」、身体に移りしみついたのが、香の道に長けた匂宮の嗅覚を刺激する。男女の関係を匂いの強弱で知ろうとする。嗅覚をみがくことは貴族達の判断力を増す手段でもあったのだ。「薫物《たきもの》合わせ」もただ楽しみのためにだけなされていたわけではない。

また「葵」の巻で、六条御息所《ろくじょうのみやすどころ》が生霊となって、源氏の子・夕霧を懐妊した正室・葵の上に取り憑《つ》くのだが、彼女はそれを自覚しているわけではない。「ただ芥子《けし》の香《か》にしみ返りたるあやしさに」と、葵《あおい》の上の「物の怪」退治に焚かれた護摩《ごま》に使われた芥子の香が身につき、それを嗅ぐことで、自分が葵の上に取り憑いたことに気づいてゆく。生霊の移動が残された芥子の香によって証拠づけられてゆくのである。香がそこまで存在証明している。

音に対する表現は、「空蝉」では、源氏が空蝉の住む「中川のわたりなる家」の母屋のなかに小君の手引きで入ってゆくのだが、「皆しづまれる夜の、御衣のけはいやはらかなるしも、いとしるかりけり」(1p111)、つまりみな寝静まっているので「衣ずれの音の柔らかなのがかえって、はっきりと分かるのだった」(校注)。つまり闇と静とが感覚を研ぎすます。

一方、空蝉は源氏が忍び寄るのを聞き逃さない。「(源氏が引き起こす)かかるけはいの、いとかうばしくうちにほふに」と、つまり闇のなかで、源氏のこの気配を感じとり、かつ源氏の着物にたきしめられた薫物の匂いに気がつき、その場から抜け出す。この女主人公は、薄衣《うすごろも》を「脱ぎすべらし」て残し、源氏の手から逃れるので、「空蝉」(蝉のぬけがら)と呼ばれる。源氏はそこに残された軒端荻と契ることになる。空蝉は自分に備わった聴覚と嗅覚の力によって光源氏の手から逃げおおせたのである。

こうした出来事は暗闇のなかで展開している。源氏物語は男と女の出会いの話であり、会うためには人々が寝静まった夜が選ばれ、つまり人目が忍ばれ、そのため、視覚、聴覚、嗅覚、触覚を駆使して男も女も自らの状況を把握してゆく。

上述の、源氏がかき抱く女が空蝉ではなく軒端荻とわかるのは触覚によってである。「衣《きぬ》をおしやりて寄りたまへるに、ありしけはいよりは、もものしくおぶゆれど」(1p112)と、つまり「上に掛けた夜着」(校注)をのけて寄り添うと、以前空蝉と寄り添ったときの感じと違い、大柄な感じがする、という触覚に頼った記述がなされ、空蝉との違いに気づいてゆく。五感を駆使して感じとる空間やひとが、源氏物語には徹底して表現されている。

●光に対する閉鎖性

「帚木」の巻で、源氏が空蝉の住む中川の家に、急に「方違《かたたが》へ」にきたときの場面で、まず寝殿の東庇に招かれる。そこで源氏は「西《にし》面《おもて》にぞ人のけはいする」のを感じる。母屋の西側に集まっている女房達の衣ずれの音や声を聞いたのである。

「格子を……おろしつれば、火ともしたる透影、障子の上より漏りたるに」、格子は下ろしてあり、母屋のなかは暗いので灯をともしてあるのだろう、障子（今の襖）の上部の隙間から火影が漏れてくる。そこで「見ゆやとおぼせど隙もなければ、しばし聞きたまふ」という場面があらわれる。聞くことについては前に述べた。

ここでは、「障子」を閉めたときに「障子」の廻りから火影が漏れるという状態が何を指しているかについて記す。まずこのことは、「例六　総角の巻」の「〈鎖す〉—閉鎖性の強弱」で述べた、男（あるいは侵入者）に対し、「障子」の閉鎖性が格子による閉鎖性より弱いことをあらわし、隙間が空いていることは、総角の巻のなかで薫が「障子のなかより（大君の）御袖をとらへて引き寄せ」ることが可能であったことを示している。さらに、火影が漏れるということは、光に対する閉鎖性も格子より弱かったこと、しかし、見ようとしても視線を通すほど「障子」の隙間は開いておらず、向こう側は見ることができなかったことを示している。

だが、垣間見、物越に見、物越に聞くことに長けた当時の貴族達には、知ろうという意識、意欲こそが問題であった。一つの感覚がふさがれても、その他の感覚を駆使して状況を把握しようとするのである。彼らにとって、この場の源氏のように「耳とどめ」、つまり注意して耳をすませている状態においては、身体が五感を駆使した感知装置のように働いている。

例十四　鈴虫の巻

●聴く庭

闇のなかの明かりによって、見えることと見えないこととの狭間の視覚を極度に強調し、象徴化した例としての「蛍」の巻については、第一章(3)「仕切り」の「垣間見る」のなかに記した。同じ虫を扱い、この「蛍」の視覚の極点に対比されるのは、「鈴虫」の巻の聴覚である。巻名のなかに、このような対比的扱いがあるのも紫式部の表現の巧みなところである。

秋、女三の宮の住まいの庭の一部を、「おしなべて野に作らせたまへり」(5p351)、そして「この野に虫ども放たせたまひて」、光源氏が女三の宮のところに渡ってくる。そこで、「鈴虫」(今の松虫)の鳴く声を聞きながらの、和歌の贈答が唱和される。源氏の弾く琴の音に、夕霧がそれを源氏が弾いていると聴き分け、やってくる。「鈴虫の宴」が始まる。ここでは、秋の野の庭を見ることも企てられているが、人々には見えない虫、「鈴虫」が出す音や琴の音を聴くことが目的とされている。

五感の一つ一つが徹底して追求され表現されてゆく。源氏物語には、こうした一つの感覚、「蛍」

では視覚、「鈴虫」では聴覚を主として取り上げる巻と、五感が様々に織りなされて表現される巻（「帚木」、「末摘花」）とが重層化されている。

(3)　まとめ

源氏物語は文学であって空間を描くことが目的とされているわけではない。それゆえ、物語のなかに登場してくる家の平面ははっきりしないことがほとんどである。しかし、寝殿造の基本構成である母屋・庇・簀子構成（図5、6）がとらえられている。それをイメージしながら読むと、物語のなかに激しく空間性があらわれていることが理解できる。

源氏物語にあらわれるいくつかの言葉、つまり「奥」、「端」、「鎖《さ》す」、光と闇、五感をキーワードとして取り上げ、これまで検討分析した結果あらわれた、それらが廻りに引きつけている空間性、源氏物語のなかに読みとれる寝殿造の空間的特性を、以下にまとめ列記する。

(イ)　源氏物語にあらわれる、「奥」という言葉の意味には建築空間と関わったものが多い。

(ロ)　「奥」はその場面の主語、あるいは主体から見て、対象方向の側、その向こう側という意味で使われることが最も多い。それは方向性としての「奥」ということである。それは多くの場合、母屋、庇、簀子という寝殿造の空間構成における特定の空間と重ならない。

(ハ) 「奥」という言葉には方向性がつきまとっているが、この言葉は他の言葉と対比的に使われたり、前後に意味や言葉が加えられることによって意味性を帯びてくる言葉である。ただし、前後関係から意味が限定化されたとしても、方向性としての「奥」といった意味はずっと保持される。

(ニ) 「端」という言葉の意味についても建築空間と関わったものが多い。また、源氏物語では、「奥」と「端」という言葉が対比的に使われる場合もあるが非常に少ない。

(ホ) 「奥」と「端」(庇という意味が強い場合)が対比的に使われるとき、「奥」には、「端」(庇)に対する母屋的意味が強くなる場合がある。一方で、「奥」と「端」が一つの場面に共にでてきても対になっていない場合がある。

(ヘ) 「端」は、その言葉だけで、庇の場と関わって意味される場合が多い。「端」の場合、「奥」と対比されず「端」だけで用いられていることが圧倒的に多いのは、「端」は「奥」と異なって、それだけでかなり特定の場(庇)、限定された場を表現することができるからである。たとえば、「端」や「端近」は建築の内部空間と関わった部分で使われるとき、庇の簀子に近いほう、母屋の庇に近いほう、つまり内部空間のなかでも外部空間に近いほうという意味をもたされる。庇そのものを指していると考えられる場合もある。「端」は方向性をも示すが、意味、場所の限定性が「奥」と比べてはるかに強い。その方向性も主体や主語から見てというより、空間的に外部空間に近い方向性を示しているといってよい。しかも外部空間に近い場と関わっている。「端」という言葉単独で、「奥」とは違い、場所にかなりの限定性をもつ場合が多い。

(ト)

このような「端」がもつ場所の限定性を、「奥」と比較してみると、「奥」は母屋といった場所を限定的に示すことは稀で、基本的に方向性を示している。その方向性も漠然とした方向づけである。つまり「奥」は、むしろ漠然と方向を示すことが基本的にある。こう見てくると、「奥」は方向性を強くあらわす概念であり、「端」は方向性も示すが、むしろ場所性を強くあらわすのを特徴とする概念であると考えられる。

また、「奥」と「端」という言葉の使い方で大きく異なるのは、「奥」は主語、主体の位置によって、つまり主体（主語）から見ての方向性を示すが、「端」は主語、主体の位置にかかわらず外部空間に近い場を示すことである。

(チ)

「奥」と「端」は共に方向性をもつ言葉だが、「端」は室内空間において空間と関わって使われる場合、外部に向けてという方向性が強くでる。母屋内で「端」といえば、母屋が平面的に中心部を占めるため、明らかに外部方向しかありえない。庇空間においても「端」といえば、「端近」という言葉にもあらわれるように、外部空間へ向かった端方向を指す。それは光に近づくことでもある。内部空間でこれらの言葉が使われるとき、書き手が母屋—庇—簀子—庭という空間構成をイメージして使っていると考えられる。

(リ) 寝殿造では、「仕切り」を重ねることが闇、暗さのグレードに大きく影響を与える。光と闇において簀子→庇→母屋と進むにつれ、暗さのグラデーションが闇に近づく。「仕切り」には、建築的仕切りばかりでなく、室礼という仕切りの重なりが重層される。寝殿造では、「仕切り」の重なりが、光→闇のグラデーションを形成するが、その「仕切り」を開けることが、光をその場に入れることと重なって表現される場合がかなりある。「仕切り」の開閉は、人の動きを誘発するばかりではなく、光と闇の空間の回路を開閉することでもある。

(ヌ) 源氏物語では、男と女の、母屋→庇→簀子、簀子→庇→母屋の動きが、闇→光、光→闇と重なって描かれることがある。

(ル) 「端近」も、家という内部空間の外部空間へ向かっての「端」ということである。母屋—庇—簀子という構成、境界がイメージされていると考えられる。女性の場合、「端近」という外部に近い部分に出ることは奥ゆかしくなく、はしたないこと、してはならないことと考えられていた。

(ヲ)

寝殿造には、簀子と庇の間《あいだ》に、また母屋と庇の間《あいだ》に、下長押や敷居による床の高低差や、錠を鎖すことによる各々のゾーニングの傾向があらわれている。施錠に関しては、それぞれの空間関係の内部側、中心側から、つまり簀子・庇では庇側から、庇・母屋では母屋側から鎖すことが源氏物語に表現されているので、室内側、母屋側の閉鎖性、防御性があらわれている。いつでも施錠し囲いとれるということには、そこで生活する人間に心理的にも、閉鎖的、防御的意識があらわれる。源氏物語にはそうした場面がいくつも描かれている。これが奥性や中心性と関わっていると考えられる。

庇と簀子の間《あいだ》にも、下長押による高低差、錠を鎖すことによる各々のゾーニングの傾向があらわれている。施錠に関しても妻戸など庇側から、つまり内部側からなされるので、簀子に対し庇の側の閉鎖性、防御性、内部性があらわれている。これは寝殿造における寝殿や対といった一つの棟ごとの閉鎖性、防御性、内部性である。

こう見てくると、床の高低差や施錠によって、外部側から簀子→庇→母屋に向けた段階的に深まり、強まる閉鎖性、防御性があらわれているといえる。

母屋・庇・簀子構成のなかに二重（つまり母屋・庇の間《あいだ》と庇・簀子の間）に施錠が可能なエンクローズされた空間があることにより、その、より内側部分を奥ないし、中心としてそこに住む人間の意識に影響を与えていると考えられる。

また、一重目と二重目の施錠の堅固度には差がある。つまり、母屋と庇を区画する「障子」は庇と簀子を区画する格子、蔀戸、妻戸と比べて強度が弱く、閉鎖性も弱い。このことは、内部空間である母屋と庇とを区画することの意味は、簀子と庇を区画する格子、蔀戸、妻戸と違って戦いや盗賊からの防禦や防犯に対するものではないことを示している。

源氏物語において、とくに、このことがあらわれてくるのは、女の家においてである。女の側が男を受け入れている家ではふつう、女が住む棟（寝殿、対）の妻戸の施錠はされていない。当然、門、中門廊の施錠もされないか、男が訪れるとき内側から開けられる。妻戸や門は板戸で堅固であり、なかに押し入れないからである。男は忍びで、夜、人々が寝静まったあと、女の元にやってくる。無理に入ろうとすれば音がでる。人々を起こしてしまう。

この女の空間においては女が男の座る位置を決めた。簀子で会うか、庇で会うかの差は大きい。しかも「仕切り」に何を使うか、さらにそれを「鎖す」かどうかで男に対する扱いのグレードが違った。

また、女の家での「障子」による母屋の閉鎖性は、女に会おうと内部空間に入ってきた男を「仕切り」で遮る、あるいは隔てる手段であった。女が、この施錠ができる「障子」を隔てて会うことを認めることは、まだ男に対し警戒していることを意味する。

母屋を内側から施錠することができ、施錠によって母屋を囲いとることができることで、寝殿に、あるいは対に中心性があらわれる可能性が強く見える（「夕霧」の巻で夕霧が落葉の宮を北庇に追っていく場面）。それは母屋、庇という空間に、それぞれの特性、空間的な質の差を与えることになる。閉鎖性、防禦性、中心性においてである。その結果、庇は中心である母屋を囲う空間という性格があらわれる。

また、母屋廻りの施錠、「障子」の施錠は、男が庇側から破ろうと思えば破れる、閉鎖性の弱いものであった。庇まで男を入れることは、女の側が男をある程度受け入れたことを意味する。男の意志によっては母屋まで押し入ることができた。

施錠が二重にあることによって、しかも双方の間に堅固度に差（外部側が強く、内部側が弱い）があることで、内部空間に対し、求心的なイメージをすることが可能である。また、簀子と庇との間の施錠という、戦いや盗賊などに対する防犯への防禦的閉鎖性だけで内部空間が成立していたのではなく、さらに、内部に柔らかく閉鎖される空間をつくりだすことには、グレードを持った、空間の重層性のあることを指摘できる。

柔らかい閉鎖性は、たとえば、男が女の空間に侵入してくることに対する閉鎖性や、女が「端近」、庇に出ることが、はしたない行為と考えられていた空間把握とつながっている。自分の家の母屋内は、貴族の女性にとって心のやすまる場所であった。

寝殿造の寝殿や対は、こうした強い閉鎖性と柔らかい閉鎖性のなかに、室礼、調度といった、さらにたおやかな遮りや閉鎖性に関わる「仕切り」によって、様々な場が囲いとられていたのである。

さらに、母屋内に塗籠《ぬりごめ》という閉鎖性の強い空間がある場合があった。四方を塗壁でふさがれ、閉鎖性の強い板戸で内側から施錠できるようになっていた。本来は寝所として使われていたが、源氏物語が書かれた平安時代中期以降は、母屋内に帳《ちょう》、帳台《ちょうだい》が調度として置かれ、そこへ普段の寝所は移っていった。塗籠のなかは着物や調度の収納場所となった。しかし、かつて、こうした閉鎖性の強い空間が建物の中心部にあったことからは、寝殿造の各建物（寝殿、対）の内部が閉鎖性、防禦性、内部性、中心性、求心性と強く関わっていた可能性が考えられる。非常の時に女がここに籠もることが「物語」に散見できる。

「物語のいできはじめの祖《おや》なる」『竹取物語』（平安初期）のなかで、翁が天からの使いからかぐや姫を守ろうと隠した場所も、この塗籠であった。それほどの防禦性、閉鎖性が塗籠にはあると当時の人々に考えられていたのだ。それは、当時の人々の意識における内部性、中心性とも関わっていたと考えられる。

施錠に関しては、「例五　空蝉の巻（その1）」および「例十　夕顔の巻（その2）」で述べたように、寝殿造では門、中門（中門廊）の施錠もされていると推測できる。築地塀・門と中門（中門廊）による囲いは、もう二重に、しかも板戸という強度な閉鎖性、防禦性を加える。ここには、戦いや侵入への防禦や防犯が意図されている。こう見てくると、源氏物語にあらわれる寝殿造には、五重に施錠された空間性のあることがわかる。

寝殿造（一町四方）は、外部空間をまず築地塀に囲われ、そこに開けられた「門」で一重、そしてその内側の中門（中門廊）で一重、つまり二重に施錠された強度な閉鎖的空間の内部に、建物の内部空間の重層した閉鎖的空間が拡がっていたのだ。いってみれば、門→中門（中門廊）→簀子・庇→庇・母屋→母屋・塗籠という内部から五重に施錠された空間であったのだ。内部に向かって五重に閉鎖されてゆく空間、そこに、寝殿造の空間構成における内部性、中心性、求心性への契機が潜んでいると思われる。

ただしそれは一カ所の中心に向かっているのではなく、棟ごとに五重に施錠されてゆく空間であった。

(7)

これらのことから母屋を「奥」的空間とすることは意味がない。「奥」という言葉自体が曖昧であるからである。

「奥」という言葉が使われるとき、はっきりと、あるいは明確に場所や方向を示すことがない場合が多いといっていい。空間と関わる「奥」という言葉は、むしろ漠然と方向を示すことが基本的にあり、その上さらに、前後に言葉や意味が加わるとき、「奥」には、場所性や意味のディテール、限定性が加わる。

「奥」はそれだけで使われると限定性がなく、曖昧で、どのようにも解釈されがちな危険な言葉である。読者の感情移入がかなりの自由度をもって入り込む。源氏物語にあらわれる空間の複雑さ、面白さの理由の一つは、こうした曖昧な言葉の前後に様々な言葉が付け加えられていて、それを読み解くことによって意味や空間性が限定され重層化してゆくことにある。「奥」という言葉の曖昧性が、少しずつ意味性に転換されてゆく。その「奥」に付加された言葉を読み過ごすと、この「奥」という言葉の周辺全体が曖昧となってしまう。ただし、意味がはっきりしてくるといっても、この言葉はいつまでも漠然とした方向性に包み込まれている。

物語に明快な構成がありながら、曖昧な言葉には読者自身が感情移入し、かつその言葉の前後を読み解いてゆくといった要素が様々に入り込み、源氏物語は複雑に構成されてゆく。読者の感情移入をも取り込んだ重畳的な読解が求められている。

(カ)「奥」、「端」という言葉を常に漠然ととらえてしまうことは危険である。紫式部は「奥」、「端」を様々に枠組みづけることによって源氏物語に空間性を与えてきた。とくに、「奥」という言葉はその内容を詳しく理解する前に、読者によって適当に感情移入がされてしまう。しかし、それは紫式部が当時の言葉で懸命に枠組み、意味づけようとしてきた空間性を失わせることである。結果として、ストーリーを追うだけになってしまう。源氏物語は、物語性ばかりではなく、空間性をも読みとらないと物語性自体がやせてしまう。

(ヨ)母屋廻りが中心的に描かれていても、それはシンメトリー(左右対称)としての中心性ではない。寝殿造は住宅であり、同じ母屋・庇構成である寺院建築における本尊といった中心的存在をもつ礼拝的空間、あるいは儀式的空間と異なり、左右対称性はあらわれにくい。源氏物語には対称性を破る言葉が様々にでてくる。それは源氏物語が男女の出会いの物語であり、当時の貴族の日常生活、私生活を描いているからである。

(タ)

源氏物語には視覚に頼った記述ばかりでなく、その他の感覚（とくに聴覚、嗅覚、触覚）を駆使した表現がある。そのことは、寝殿造にはそれを支える内部空間、外部空間が拡がっており、視覚だけではとらえつくすことのできない空間構成があり、生活方法があったことを示している。そして、それらの感覚を駆使し、差を識別できる貴族達の感性があった。

五感の一つ一つが徹底して追求され表現されてゆく。源氏物語には、こうした一つの感覚を主として取り上げる巻（「蛍」では視覚、「鈴虫」では聴覚）、それと五感が様々に織りなされて表現される巻（「帚木」、「末摘花」）とが重層化されている。貴族達は自分達のそうした能力を愛で、研ぎすます機会をつくり、楽しんでいたのである。

あとがき

かつて、私にとって日本の空間、日本の建築空間は説明するのに複雑で、とらえようとすれば身をかわされ、つかんだと見えて姿や形を変えて逃げられてしまう、とらえどころのない空間としてあった。それを説明する言葉が、日本的な曖昧な言葉では、到底自らを納得させることができなかった。

そこを切り開くことに向かって、少しでもと理解可能な言葉で記述することを試みてきたものをまとめたのが、拙書『日本の建築空間』（一九九六年）であり、『近代日本の建築空間』（一九九八年）であった。最初に上梓した『「ぺーパーバック読み」考』（一九九五年）も、私にとっての都市論、都市空間論であった。

『日本の建築空間』には、主として古代から江戸時代までの建築空間について記した。そのなかに平安時代にあらわれる寝殿造についても記した。寝殿造は日本の建築空間を顕在的に一般化した建築形式と考えられる。従来の高床式―竪穴式（南方系―北方系）といった二項対立の分類ではなく、平面構成ないし柱による空間構成においては、竪穴式住居の柱に囲まれた中心部と、その外側の周辺部という建築形式、大陸から渡ってきた建築形式（寺院・宮廷建築の母屋・庇構成）、さらに倉や神社建築における高床などを取り込み、高度に建築空間として洗練化しえる形式として一般化した。

本書は、その古代、平安時代の寝殿造という空間について、源氏物語のなかにあらわれてくる空間を、さらに詳しく検討することによって、前著を補強すると共に、源氏物語を軸として、平安時代の貴族が生活していた寝殿造という住居形式にあらわれる空間性をどうとらえるかの試みである。それは源氏物語にあらわれる男女一人一人の行為を通して述べられる。

ただし、「奥」が日本の空間を説明しえる最適な言葉と考えているわけではない。源氏物語のなかに多用されているこの曖昧な言葉、不必要な権威を持たされがちな言葉は、解体して論理的な説明がなされるべきと考える。そうした努力が継続的に必要である。それは日本の建築空間の明度を上げてゆく作業である。「奥」にかぎらず、こうした日本的な、曖昧な言葉を、我々は一つ一つ解き明かしてゆくべきであろう。「端」、「闇」などもそうした言葉、概念の一つである。これらの言葉の意味するものを、諸外国に対しても、日本の建築空間を理解するのにわからないまま放置すべきではない。その理性的な説明がなされるべきである。

第三章の「源氏物語空間読解」は、「奥」、「端」、「鎖す」、光と闇、五感をキーワードに取り上げ、登場人物の動きを通して、源氏物語のなかにあらわれてくる空間をとらえなおしたものである。「奥」を浮かび上がらせるにあたって、その相対する言葉のように見える「端」という言葉をも対比的に取り上げた。また、源氏物語における「鎖《さ》す」（施錠する）ということを通して、寝殿造の空間にあらわれる空間的特性を、さらに、闇と光を通してあらわれる空間的特性を呈示した。そして寝殿造の空間がそこに巻き込まれた人々の五感を刺激していることに、物語を介してアプローチを試みた。

そして紫式部は、これらの言葉を通じて建築や庭を表現していた。ここまで表現できた紫式部は何らかの仕方で空間を知っていたことになる。それは単なる拡がりを超えたものだ。それは母屋・庇・簀子・庭といった構成であったかもしれない。その構成は平面構成であったとも、空間構成であったともとれる。おそらく母屋、庇、簀子、庭、「奥」、「端」といった、当時の無数の言葉によって表現しえたものは物語であることはいうまでもないことだが、寝殿造という日本の空間の存在でもあったろう。

〈間面記法〉や〈吹抜屋台〉、『作庭記』のなかの記述、こうしたものの存在は、平安時代当時、概念としての空間をとらえる方法があったことを示している。それが近代の概念としての空間とどれほどずれているかはこれから探ってゆく必要がある。

源氏物語の空間は文学での空間であるが、それがそのまま現実にあった平安時代の空間と全く同じではなかったとしても、大きく通底しているであろう。そこに源氏物語の空間を読解する意味がある。我々は寝殿造を眼前に体験することができないからである。

本書で説明できたことは、私にとってまだ始まりである。源氏物語を空間に視点をおいて徹底的に読みとるとき、日本の古代の空間があらわれてくるに違いない。平安時代の寝殿造の空間が現実に残っていないだけに、今後も源氏物語という文学を介した空間の解明が必要と考える。平安時代の、その他の文学、日記、記録などのなかの空間についても同様である。

この書では、現実に存在する建築空間やそれらの図面を介して読んでいるのではない。絵巻物により解読している部分もあるが、多くは文学という文字のなかから読解したものである。日本に定着した寝殿造を読み解くことは、日本の空間、その内部空間、外部空間を読んでゆくことである。

また、この書は、拙書『日本の建築空間』、『近代日本の建築空間』とつなげ、進めてきた日本の空間史への補強であり、合わせてお読みいただければこれに過ぎる喜びはない。この書を含め、日本の歴史全般に現れてくる日本の空間に、少しでも空間理解への切り口が開かれるならと望んでいる。そして、源氏物語の物語理解への思考の一助になればと願っている。

本書を上梓するにあたっては、多くの方々にお世話をおかけした。とくに、名城大学の伊藤三千雄氏、東北大学の菅野實氏、飯淵康一氏からは様々な励ましをいただき、心より御礼申し上げたい。執筆を終えるにあたり、内容の不首尾についてはすべて著者の責任である。

本書が上梓できたのは、大阪大学の吉村英祐氏が鹿島出版会に推薦いただいたおかげである。また同出版会の小田切史夫氏には、編集にあたり大変お手数をおかけした。両氏には記して感謝の意を表したい。

二〇〇〇年如月

安原盛彦

【参考文献】

新潮日本古典集成『源氏物語』石田穣二、清水好子校注　新潮社　一九七六年
新潮日本古典集成『枕草子』萩谷朴校注　新潮社　一九七七年
新潮日本古典集成『徒然草』木藤才蔵校注　新潮社　一九七七年
新潮日本古典集成『落窪物語』稲賀敬二校注　新潮社　一九七七年
新潮日本古典集成『紫式部日記』山本利達校注　新潮社　一九八〇年
新潮日本古典集成『大鏡』石川徹校注　新潮社　一九八九年
『竹取物語』中河與一訳注　角川書店　一九五六年
『新訂増補　故実叢書　第二回・家屋雑考』明治図書出版・吉川弘文館　一九五一年
足立康「中古における建築平面の記法」『考古学雑誌』二三ノ八　一九三三年
関野克『日本住宅小史』相模書房　一九四二年
太田静六『寝殿造の研究』吉川弘文館　一九八七年
太田博太郎『書院造』東京大学出版会　一九六六年
日本建築学会編『日本建築史図集』彰国社　一九四九年
池浩三『源氏物語―その住まいの世界―』中央公論美術出版　一九八九年
森　蘊『作庭記の世界』日本放送出版協会　一九八六年
家永三郎『日本文化史』岩波書店　一九五九年
平井聖『日本住宅の歴史』日本放送出版協会　一九七四年
飯淵康一「空間秩序からみた平安期貴族住宅の研究」（博士論文）　一九八五年八月
若山滋「〈源氏物語〉における建築空間」（日本建築学会計画系論文報告集第四〇八号）　一九九〇年二月
黒田正巳『空間を描く遠近法』彰国社　一九九二年
森田悌『長屋王の謎―北宮木簡は語る』河出書房新社　一九九四年
土田直鎮『日本の歴史5／王朝の貴族』中央公論社　一九六五年

『建築大辞典』彰国社　一九七六年
中川武編『日本建築みどころ事典』東京堂出版　一九九〇年
中川武『建築様式の歴史と表現』彰国社　一九八七年
『奈良六大寺大観』岩波書店　一九七二年

【図版所蔵・出典】

図1　京都御所紫宸殿　平面図『日本建築史図集　新訂版』日本建築学会編　彰国社
図2　京都御所清涼殿　平面図『日本建築史図集　新訂版』日本建築学会編　彰国社
図3　『家屋雑考』寝殿造の図「新訂増補　故実叢書　第二回」明治図書出版・吉川弘文館
図4　北宮の復元図（森田悌『長屋王の謎—北宮木簡は語る』より）
図5　母屋・庇・簀子・庭の断面空間構成図（軒内包空間・軒内包領域　概念図）
図6　母屋・庇構成、母屋・庇・簀子構成
図7　『源氏物語絵巻』「鈴虫（二）」五島美術館所蔵
図8　『年中行事絵巻』巻一「朝覲行幸巻一　舞御覧」田中家所蔵　中央公論社
図9　『源氏物語絵巻』「夕霧」五島美術館所蔵
図10　『源氏物語絵巻』「宿木（一）」徳川美術館所蔵
図11　平等院鳳凰堂　平面図
図12　バシリカ式の構成（ステアリン著・鈴木博之訳『図集世界の建築上』より）
図13　唐招提寺金堂　復元断面図、平面図（ステアリン著・鈴木博之訳『図集世界の建築上』より）
図14　『源氏物語絵巻』「宿木（三）」徳川美術館所蔵
図15　『年中行事絵巻』巻一「朝覲行幸巻三　闘鶏」田中家所蔵　中央公論社
図16　母屋（塗籠）・庇・簀子構成
図17　『年中行事絵巻』別本巻三「安楽花」田中家所蔵　中央公論社

【別表】源氏物語における奥と端の意味の分類

	奥											端								
	1	2	3	4	5	6	7	8	計	イ,ロ,ハ	a,b	1	2	3	計	イ,ロ,ハ	R	X	Y	Z
桐　壺																				
帚　木	2								2	イ-1,ハ-1	a-1,b-1	2	1		3	イ-1,ハ-1	1		1	
空　蝉	1								1	ハ-1	b-1		1		1					
夕　顔	1								1	イ-1	a-1	2	1		3	イ-1,ハ-1	2	1		
若　紫		2							2			1			1	ハ-1	1			
末摘花	1					1		1	3	ロ-1	a-1		1		1					
紅葉賀												2			2	ハ-2	1		1	
花　宴	2								2	ハ-2	a-1,b-1									
葵																				
賢　木	1					1			2	ハ-1	b-1	1			1	ハ-1	1	1		
花散里																				
須　磨												1		1	2	ハ-1	1			
明　石			1						1											
澪　標						1			1			1			1	ハ-1	1			
蓬　生								1	1			1			1	ハ-1	1	1		
関　屋																				
絵　合													1	1	2					
松　風																				
薄　雲												2		2	4	ハ-2	2	2		
朝　顔												1		1	2	ハ-1	1	1		
少　女																				
玉　鬘	1				1				2	ハ-1	b-1		1		1					
初　音																				
胡　蝶																				
蛍																				
常　夏	1								1	ハ-1	b-1		2		2					
篝　火																				
野　分												3			3	ハ-3	2	2	1	
行　幸																				
藤　袴												1		1	2	ハ-1	1	1		
真木柱												1			1	ハ-1	1	1		

別表

	奥											端								
	1	2	3	4	5	6	7	8	計	イ,ロ,ハ	a,b	1	2	3	計	イ,ロ,ハ	R	X	Y	Z
梅　枝												2	1	1	4	ハ-2	2	2		
藤裏葉																				
若菜上	1								1	ハ-1	b-1	2		1	3	ハ-2	1	1		1
若菜下	1								1	ハ-1	b-1	2	3	6	11	ハ-2	1	1		1
柏　木																				
横　笛							1		1			2	2		4	ハ-1,ロ-1	2	1	1	
鈴　虫		1							1			1		2	3	ハ-1	1	1		
夕　霧	3								3	ハ-3	b-3		2	1	3					
御　法													1		1					
幻																				
雲　隠																				
匂兵部卿				1					1											
紅　梅				1					1					2	2					
竹　河	1							1	2	ハ-1	b-1	2	2		4	ハ-2	2	2		
橋　姫	3	1						1	5	ハ-3	b-3		1	3	4					
椎　本	2	1							3	ハ-2	b-2	1			1	ハ-1	1	1		
総　角	4	1						1	6	ハ-4	b-4			1	1					
早　蕨												1		1	2	ハ-1	1	1		
宿　木	1							2	3	ハ-1	b-1	1		1	2	ロ-1				1
東　屋				2					2			3			3	ハ-3	2	1	1	1
浮　舟	1			3					4	ハ-1	b-1	2	2	1	5	ハ-2	2	2		
蜻　蛉																				
手　習	3			1					4	ハ-3	b-3	1	5		6	ハ-1	1		1	
夢浮橋												1	1		2	ハ-1	1			
計	30	6	1	8	1	3	1	7	57	1の箇所	1の箇所	40	28	26	94	1の箇所	33	23	6	4

「奥」の凡例
1　建築空間と関わった奥
2　自然の奥
3　手紙の終わりなど
4　心の奥
5　将来または逆に古いほう
6　奥ゆかしい・慕わしい・心憎い
7　より
8　固有名詞
(a) 母屋が「奥」と深く関わっている可能性のあるもの
(b) 方向性の「奥」を示すもの

「端」の凡例
1　建築空間と関わった端
2　物の末端
3　一部、断片
R　庇と関わる端
X　端近
Y　端つかた、端のかた
Z　庇と関わらない端

＜奥と端に共通な分類＞
(イ)「奥」と「端」が対比的に使われ、これらの言葉が、あるいはそれが深く関わる言葉が両方共に表出されている場合
(ロ)「奥」と「端」が対比的に使われているが、一方の言葉が表出されていない場合
(ハ) 一方のことだけが述べられている場合

〈著者略歴〉
安原盛彦（Morihiko Yasuhara）
一九四五年中国ハルビンに生まれる。一九六八年東北大学工学部建築学科卒業。一九七〇年東北大学工学部大学院修士課程建築学専攻修了。一九七七〜九九年安原建築設計事務所代表取締役。一九九二〜九七年東北大学工学部建築学科非常勤講師。一九九九年〜秋田県立大学教授（建築環境システム学科・建築計画学講座）
〈著　書〉
『「ペーパーバック読み」考—レーモンド・チャンドラーからポール・オースターまで—』（一九九五年・新風書房）。『日本の建築空間』（一九九六年・新風書房）。『近代日本の建築空間』（一九九八年・理工図書）

源氏物語空間読解
発　行　二〇〇〇年五月三〇日©
著　者　安原盛彦
発行者　平田翰那
印　刷　壮光舎印刷　製　本　和田製本
発行所　鹿島出版会　107-8345 東京都港区赤坂六丁目5番13号
電話　〇三（五五六一）二五五〇　振替　〇〇一六〇-二-一八〇八八三

ISBN4-306-04402-5　C3052
Printed in Japan